시간이 소중한 당신을 위한

수능 영단어

시간이 소중한 당신을 위한 수능 영단어

발 행 | 2023 년 02 월 22 일

저 자 | 이병세

펴낸이 | 한건희

펴낸곳 | 주식회사 부크크

출판사등록 | 2014.07.15(제 2014-16 호)

주 소 | 서울특별시 금천구 가산디지털 1 로 119 SK 트윈타워 A 동 305 호

전 화 | 1670-8316

이메일 | info@bookk.co.kr

저자 이메일 | thiatt@naver.com

ISBN | 979-11-410-7226-1

www.bookk.co.kr

시간이 소중한

당신을 위한

수능 VOCA

이병세 지음

지난 수능 나온 단어만
이번 수능 나올 단어만
당신의 시간을 위해 정리했습니다

내용

일러두기

일러두기

수능은 시간과 에너지의 싸움입니다. 얼마나 적은 시간과 적은 에너지를 넣고 많은 결과를 창출해냈는가? 이것을 묻습니다. 이 단어책은 이것만 생각했습니다. 지난 수능에 나온 단어만, 이번 수능에 나올 단어만. 지난 수능에 나왔던 문장들만, 이번 수능에 나올 문장들만. 해당 단어가 해당 문장에 들어갔을 때 어떤 뜻을 갖는지. 그것을 다른 단어로 바꾸면 어떻게 바뀌는지. 그리고 그것의 반대되는 개념은 어떤 단어가 있는지. 이렇게만 편집했습니다. 혼자서 정리하면 몇 개월이 걸릴 수 있습니다. 저자 역시 수능세대여서 단어정리의 중요성을 알고 있습니다.

제가 가르쳤던 학생들 중에는 20~30점 대에서 3달만에 80점 대로 올린 학생도 있습니다. 이런 학생들이 어떻게 해야 성적을 올리는지, 무엇이 바로 성적에 직결이 되는지 잘 알고 있습니다.

제가 가르쳤던 아이들이 겪었던 가장 빠른 길. 수능의, 수능에 의한, 수능만을 위한 단어들. 이것들만 모아놨습니다. 이 단어장을 연습하시는 분들은 왼쪽의 단어들을 보고 오른쪽에 나와있는 수능 문장들에서 해석연습을 하셔야 합니다. 그리고 해당 단어를 유의어로 바꾸었을 때, 반의어로 바꾸었을 때 해석할 수 있어야 합니다.

해석하는 것이 힘들 수 있어서 한국어 해석도 병기해두었습니다. 학생분들이 여러 번 생각하지 않도록, 여러 곳에서 다시 찾아보고 다시 정리하는 수고를 안 하도록 구성한 책입니다. 이 단어장은 정말 수능에 의한 단어장입니다. 수능에서 쓰는 폰트 Times New Roman 의 크기 11pt 더블스페이스를 지켰습니다. 장문의 경우는 행간을 1.15배로 줄이긴 했지만, 시각적인 모든 것이 수능과 평가원에 익숙해지도록 구성했습니다. 여러 번 볼수록 평가원이 원하는 단어들, 표현들, 그리고 그들의 규칙들이 눈에 보일 것입니다. 때문에 꼭꼭 씹어 드시기 바랍니다. 혹시 연습을 하다가 막히는 부분이 있으면 저에게 메일문의를 주시기 바랍니다. 그 부분은 제가 최대한 이해가 쉽게 되도록 답변을 드리겠습니다.

thiatt@naver.com 입니다. 이 단어장으로 영어공부를 한 학생들만 1 등급

꼭 받으시기 바랍니다. 파이팅!

시간이 소중한

당신을 위한

2024년 6월

수능의, 수능에 의한, 수능만을 위한

132개의 단어

당신의, 당신에 의한, 당신만을 위한
단어 암기 성공하세요!

2024년 6월 모의평가 3교시 영어영역 오답률이 가장 높은 15개 문제의 분석

오답률 80%이상	오답률 60%이상	20% 이상이 선택	40% 이상이 선택

[오답률 높은 순]

순위	문항 번호	오답률	배점	정답	선택지별 비율				
					①	②	③	④	⑤
1	33	78	3	1	22	24.1	22.7	13.4	17.8
2	42	74.3	2	2	6.3	25.7	17.1	23.3	27.6
3	34	73.5	3	5	16.5	17.1	21.1	18.9	26.5
4	29	68.9	2	3	6.2	12.7	31.1	29.8	20.2
5	39	68.4	3	2	4.8	31.6	22.7	19.7	21.2
6	30	64.9	3	4	26.4	13.6	15.7	35.1	9.3
7	31	64.7	2	2	11.9	35.3	16.2	11.2	25.5
8	40	62	2	2	14.2	38	25.5	13	9.3
9	38	61.3	2	5	3	10.3	23	25.1	38.7
10	23	61.1	3	4	21.4	11.8	18.9	38.9	8.9
11	36	55.8	2	4	7.1	16.7	11	44.2	21
12	21	53.1	3	3	8.4	12	46.9	12.7	20
13	37	52.5	3	3	4.3	24.8	47.5	13	10.3
14	41	52.3	2	3	16.7	13.3	47.7	11	11.4
15	32	48.1	2	3	8.9	17.3	51.9	14.5	7.3

[문제 순서 순]

순위	문항 번호	오답률	배점	정답	선택지별 비율				
					①	②	③	④	⑤
12	21	53.1	3	3	8.4	12	46.9	12.7	20
10	23	61.1	3	4	21.4	11.8	18.9	38.9	8.9
4	29	68.9	2	3	6.2	12.7	31.1	29.8	20.2
6	30	64.9	3	4	26.4	13.6	15.7	35.1	9.3
7	31	64.7	2	2	11.9	35.3	16.2	11.2	25.5
15	32	48.1	2	3	8.9	17.3	51.9	14.5	7.3
1	33	78	3	1	22	24.1	22.7	13.4	17.8
3	34	73.5	3	5	16.5	17.1	21.1	18.9	26.5
11	36	55.8	2	4	7.1	16.7	11	44.2	21
13	37	52.5	3	3	4.3	24.8	47.5	13	10.3
9	38	61.3	2	5	3	10.3	23	25.1	38.7
5	39	68.4	3	2	4.8	31.6	22.7	19.7	21.2
8	40	62	2	2	14.2	38	25.5	13	9.3
14	41	52.3	2	3	16.7	13.3	47.7	11	11.4
2	42	74.3	2	2	6.3	25.7	17.1	23.3	27.6

2024년 6월은 상위권에게는 쉽고 중위권에는 어려운 시험이었습니다. 오답률 상위 10위 안에 드는 문제들의 정답률이 40%를 넘지 않습니다. 반대로 정답률이 30%를 넘지 않은 문제는 딱 3개 32번, 33번, 42번입니다. 전형적인 패턴입니다.

상위권 학생이 3개를 다 틀린다 하더라도 1등급 커트라인 90점을 넘길 수 있습니다. 하지만 중간에 실수를 했다면 1등급을 맞기는 힘들었을 것입니다.

중위권 학생에게는 많이 힘들었을 것입니다. 보통 정답률이 40% 미만의 것들은 5문제 내외여야 하는데 여기서는 10개나 됩니다. 체감상 2배는 더 힘들었을 것입니다.

3등급을 목표로 하는 학생에게도 쉽지 않았습니다. 정답률 40% 미만의 것이 10문제라는 것은 3등급 수준의 학생에게 10문제를 틀리고 나머지에서 실수하지 말라는 말과 같습니다. 1~2등급 실력의 학생들도 실수라는 것을 하는데 3등급 학생에게 실수를 허용하지 않는 것은 가혹합니다. 때문에 기본적으로 학생들이 체감했을 난이도는 기존의 교육청 모의평가보다 2배 이상 어려웠을 것입니다

특히 36번과 37번 문항이 중위권 3등급을 가르는 문제가 되었습니다. 정답률이 각각 44%, 48%로 상대적으로 낮지 않지만, 오답선택지를 보면 36번의 문제는 21%가 5번을 골랐고 37번의 경우 24.8%가 2번을 골랐습니다. 보통 2~3등급을 맞는 학생들이 잘못 생각해서 고른 답지일 경우 선택지의 비율이 20%를 넘습니다. 3등급을 목표로 하는 학생이라면 이번 시험에서 했어야 할 것들은 다음과 같습니다.

듣기 평가에서 틀리지 말아야 한다. 오답률이 60%를 넘지 않는 문제들 중에서 3문제를 맞아야 한다. 앞문단에서 언급한 36번과 37번을 틀렸다 하더라도 21, 32, 41번을 맞아야 했습니다. 마지막으로 오답률 상위 15문제를 제외한 다른 독해문제는 다 맞아야 한다.

마지막 조건, 오답률 상위 15문제를 제외한 다른 독해문제들은 전부 단어장에 넣었습니다. 13개의 문제, 132개의 표현, 300여개의 유의어와 반의어입니다. 꼭꼭 씹어 드시기 바랍니다.

영어표현	품사	뜻	유의어	반의어
Grand reopening	명사	거대한 개장	reopening event	shutdown
event	명사	사건	occurrence, happening	inactivity, idleness
hold on	동사	멈추다	wait, stop	proceed, continue
exciting	형용사	신나다	thrilling, stimulating	dull, boring
occasion	명사	행사	event, incident	-
offer	명사	제공하다	provide, present	withhold
admission	명사	입장, 입학	entrance	exclusion, denial
visitor	명사	방문객	guest, attendee	Resident
invite	동사	초대하다	ask, request	discourage, dissuade
valued members	형용사	소중한 회원들	esteemed members	-
explore	동사	탐험하다	investigate, discover	ignore, neglect
new features	명사	새로운 특징들	innovative elements	outdated features
scenery	명사	풍경	landscape, view	emptiness
confident	형용사	자신 있는	self-assured	uncertain, insecure

Dear Custard Valley Park members, Custard Valley Park's grand reopening event will be held on June 1st. For this exciting occasion, we are offering free admission to all visitors on the reopening day. There will be a food stand selling ice cream and snacks. We would like to invite you, our valued members, to celebrate this event. Please come and explore the park's new features such as tennis courts and a flower garden. Just relax and enjoy the beautiful scenery. We are confident that you will love the new changes, and we are looking forward to seeing you soon. Sincerely, Katherine Carter Park Management Team

친애하는 Custard Valley Park 회원 여러분, Custard Valley Park의 화려한 재오픈 이벤트가 6월 1일에 개최될 예정입니다. 이 흥미로운 행사를 위해 재오픈 당일에는 모든 방문객에게 무료 입장이 제공될 예정입니다. 아이스크림과 간식을 판매하는 음식 스탠드도 마련되어 있을 것입니다. 우리는 소중한 회원 여러분을 이 행사에 초대하고 싶습니다. 이 날 새로운 테니스 코트와 꽃 동산과 같은 공원의 새로운 특징을 탐험하러 오세요. 그저 편안하게 쉬며 아름다운 풍경을 즐기세요. 새로운 변화를 사랑해주실 것이라 확신하며 곧 뵙기를 기대하고 있겠습니다. 진심으로, Katherine Carter 공원 관리팀 드림

영어표현	품사	뜻	유의어	반의어
the mechanic	명사	정비사	auto technician, car repairman	customer, client
work on	동사 구	작업하다	fix, repair	neglect, ignore
back and forth	부사 구	왔다갔다	-	stationary
be concerned about	동사 구	걱정하다	worry about, be anxious about	be indifferent to, not care about
get something fixed	동사 구	뭔가를 고치다	repair, mend	leave something broken
make noise	동사 구	소음을 내다	create a disturbance, be loud	maintain silence, be quiet
replacing	동사	교체하는	substituting, changing	maintaining, keeping
spark plug	명사	점화 플러그	ignition plug	exhaust plug
hand someone the bill	동사 구	청구서를 전하다	present the invoice to someone	-
overall cost	명사	총 비용	total expense, complete cost	partial cost, specific expense
repair	명사	수리	fix, mend	break, damage
far less than	비교 구	~보다 훨씬 적은	considerably lower than	considerably higher than
at ease	형용사	안심한	comfortable, relaxed	uncomfortable, uneasy
afford	동사	여유가 있다	bear the cost	struggle financially

While the mechanic worked on her car, Jennifer walked back and forth in the waiting room. She was deeply concerned about how much it was going to cost to get her car fixed. Her car's engine had started making noises and kept losing power that morning, and she had heard that replacing an engine could be very expensive. After a few minutes, the mechanic came back into the waiting room. "I've got some good news. It was just a dirty spark plug. I already wiped it clean and your car is as good as new." He handed her the bill and when she checked it, the overall cost of repairs came to less than ten dollars. That was far less than she had expected and she felt at ease, knowing she could easily afford it.

정비사가 그녀의 차를 수리하는 동안 제니퍼는 대기실에서 왔다갔다했습니다. 그녀는 자신의 차를 고치는 데 얼마나 비용이 들 것인지 깊이 걱정했습니다. 그 날 아침 차 엔진이 소리를 내며 계속해서 전원이 떨어지기 시작했고, 엔진 교체가 매우 비싸다는 소문을 들었습니다. 몇 분 후, 정비사가 대기실로 돌아왔습니다. "좋은 소식이에요. 더러운 점화플러그때문이었어요. 이미 깨끗이 닦았고 당신의 차는 새 것처럼 돌아갑니다." 그는 영수증을 건네주었고 그녀가 확인하자 수리비는 10달러 미만으로 나왔습니다. 그것은 그녀가 예상했던 것보다 훨씬 적었고, 그녀는 쉽게 감당할 수 있다는 것에 안심했습니다.

영어표현	품사	뜻	유의어	반의어
hinderance	명사	방해	Obstacle	aid, assistance
multifaceted	형용사	여러 측면을 가진	diverse, varied	singular, one-dimensional
premature	형용사	이른, 조기의	early, untimely	timely, on time
specialization	명사	전문화	focus, expertise	generalization, broadening
direction	명사	방향	guidance, control	misdirection, misalignment
domain	명사	영역, 도메인	area, field	-
enhance	동사	향상시키다	improve, strengthen	weaken, diminish
effectiveness	명사	효과적임	efficiency	Ineffectiveness
flexible	형용사	유연한	adaptable, versatile	inflexible, rigid
switching	동사	전환, 교체	change, shift	stay, remain
generality	명사	일반적인 특성	breadth, inclusiveness	specificity, particularity
specificity	명사	특수한 분야	expertise, field of expertise	non-specialization, general knowledge
excessive	형용사	과도한	overmuch, extravagant	moderate, reasonable
specificity	명사	구체성	detail, precision	generality, vagueness
result in	동사	결과를 초래하다	lead to, bring about	prevent, hinder
fixedness	명사	고정성	rigidity, inflexibility	flexibility, adaptability
tendency	명사	경향, 성향	inclination, predisposition	opposition, resistance
vagueness	명사	모호함	ambiguity, uncertainty	clarity, precision
shallowness	명사	얕음, 표면적인	superficiality, shallowness	depth, thoroughness
pose a threat	동사 구	위협을 가하다	constitute a danger	ensure safety
knowledge	명사	지식	information, understanding	ignorance, unawareness
optimal	형용사	최적의	optimal, best	suboptimal, subpar
take up creative challenges	동사 구	도전 하다	embrace creative challenges	resist change
coupling it	동사 구	연결, 결합	connect it, link it	decouple it, detach it
encouragement	명사	격려, 장려	support, motivation	discouragement, disapproval
discipline	명사	규율, 훈련	control, regulation	disorder

2024년 20번 문제

Certain hindrances to multifaceted creative activity may lie in premature specialization, i.e., having to choose the direction of education or to focus on developing one ability too early in life. However, development of creative ability in one domain may enhance effectiveness in other domains that require similar skills, and flexible switching between generality and specificity is helpful to productivity in many domains. Excessive specificity may result in information from outside the domain being underestimated and unavailable, which leads to fixedness of thinking, whereas excessive generality causes chaos, vagueness, and shallowness. Both tendencies pose a threat to the transfer of knowledge and skills between domains. What should therefore be optimal for the development of cross-domain creativity is support for young people in taking up creative challenges in a specific domain and coupling it with encouragement to apply knowledge and skills in, as well as from, other domains, disciplines, and tasks.

다양한 창의적 활동에 대한 특정한 어려움은 조기 전문화, 즉 교육의 방향을 선택하거나 삶의 초기에 한 능력에 중점을 두는 데 있을 수 있습니다. 그러나 한 도메인에서 창의적 능력을 개발하는 것은 유사한 기술이 필요한 다른 도메인에서의 효과를 높일 수 있으며, 일반성과 특수성 사이의 유연한 전환은 여러 도메인에서의 생산성에 도움이 됩니다. 과도한 특수성은 도메인 외부의 정보를 과소평가하고 활용할 수 없게 만들어 생각의 고정성으로 이어질 수 있으며, 반면에 과도한 일반성은 혼란, 모호함 및 표면적인 지식을 초래할 수 있습니다. 두 경향 모두 지식과 기술을 도메인 간에 전이하는 데 위협이 됩니다. 따라서 다 도메인 창의성의 발전을 위해 최적인 것은 특정 도메인에서 창의적 도전을 수용하는 동시에 지식과 기술을 다른 도메인, 학문 및 작업에서 가져다 사용하도록 장려하는 젊은이들에 대한 지원입니다.

영어표현	품사	뜻	유의어	반의어
anonymity	명사	익명성	namelessness, anonymity	identification, disclosure
reside	동사	거주하다	dwell, live	depart, leave
sensible	형용사	합리적인	reasonable, rational	irrational, illogical
validity	명사	타당성	legitimacy, soundness	invalidity, unsoundness
instinct	명사	본능	intuition, gut feeling	ignorance, disregard
sidewalk	명사	인도, 보도	pavement, walkway	road, street
place someone in somewhere	동사 구	A 를 B 에 두다	position someone in somewhere	remove someone from somewhere
protective position	표현	방어적인 위치	defensive stance	vulnerable state
having known you	동사 구	당신을 알고 있던	be aware of, recognize	be ignorant of, be unaware of
to your surprise	표현	당신이 놀랄 만한	unexpectedly, surprisingly	as expected, predictably
set up challenges	동사 구	도전을 설정하다	arrange, establish	dismantle, disarrange
presenting scenarios	동사 구	이야기를 제시하면서	presenting situations	withholding scenarios
acquaintances	명사	지인들, 아는 사람들	friends, associates	strangers, unfamiliar faces
validate	동사	확인하다	confirm, verify	invalidate, disprove
it has gone through	동사 구	그것은 통과했다	undergo, experience	skip over
cognitive validation	표현	인지적 검증	mental validation	intellectual rejection
trustworthy	형용사	믿을 수 있는	reliable, dependable	unreliable, undependable
mechanism	명사	메커니즘	system, apparatus	disorder, chaos
perform	동사	수행하다	execute, carry out	neglect, disregard
영어표현	품사	뜻	유의어	반의어

When it comes to the Internet, it just pays to be a little paranoid (but not a lot). Given the level of anonymity with all that resides on the Internet, it's sensible to question the validity of any data that you may receive. Typically it's to our natural instinct when we meet someone coming down a sidewalk to place yourself in some manner of protective position, especially when they introduce themselves as having known you, much to your surprise. By design, we set up challenges in which the individual must validate how they know us by presenting scenarios, names or acquaintances, or evidence by which to validate (that is, photographs). Once we have received that information and it has gone through a cognitive validation, we accept that person as more trustworthy. All this happens in a matter of minutes but is a natural defense mechanism that we perform in the real world. However, in the virtual world, we have a tendency to be less defensive, as there appears to be no physical threat to our well-being.

인터넷에 관한 이야기가 되면 조금은 걱정하는 것이 유리합니다(하지만 지나치게는 아닙니다). 인터넷에 존재하는 모든 것의 익명성을 감안할 때, 받게 될 모든 데이터의 타당성을 의심하는 것이 합리적입니다. 일반적으로 보도록 할 수 있는 것은 길을 따라 다가오는 누군가를 만났을 때, 자신을 어떤 방식으로든 보호적인 위치에 놓는 것이 현명합니다. 특히 그들이 당신을 알고 있다고 자신을 소개할 때, 그것이 당신에게 놀랍게 들릴 때입니다. 디자인적으로 우리는 상대방이 우리를 어떻게 알고 있는지를 검증하기 위해 시나리오, 이름 또는 지인, 또는 (즉, 사진과 같은) 검증을 위한 증거를 제시해야 하는 도전을 설정합니다. 그 정보를 받아들이고 인지적으로 검증한 후에 우리는 그 사람을 믿을 만한 사람으로 인정합니다. 이 모든 것은 몇 분 만에 일어나지만, 이는 현실 세계에서 우리가 수행하는 자연스러운 방어 기전입니다. 그러나 가상 세계에서는 우리의 안전에 대한 물리적인 위협이 없는 것처럼 수비적일 경향이 있습니다.

영어표현	품사	뜻	유의어	반의어
hyper-mobility	명사	초고 이동성	excessive movement	stillness
covering longer distances	동사 구	더 긴 거리를 이동	travel over extended distances	stay within short distances
generate	동사	발생시키다	create, produce	cease, halt
success	명사	성공	achievement, accomplishment	failure, downfall
distinguishing feature	명사	독특한 특징	distinctive characteristic	shared trait
urban areas	명사	도시 지역	metropolitan areas, cities	rural areas, countryside
worldwide	형용사	전 세계적으로	globally, universally	local, limited
infrastructure	명사	시설기반	facilities, structures	disarray, disorganization
permit	동사	허가하다	allow, authorize	prohibit, deny
threefold	표현	세 배로	three times, triple	single, solitary
mobility flows	표현	이동성 흐름	movement patterns, circulation	stagnation, standstill
dynamic of urbanization	명사	도시화의 동력	urban development dynamics	urban stagnation
associated	형용사	관련된	linked, connected	unrelated, unconnected
invariably constituting	표현	불변적으로 구성하는	always composing	occasionally breaking
backbone	명사	중추	core, main support	outskirts
convenient	형용사	편리한	handy, user-friendly	inconvenient, burdensome
in terms of time	표현	시간 측면에서	with regards to time	-
externalities	명사	외부효과	side effects	internalities, inner factors
unprecedented accessibility	형용사	전례없는 접근성	unparalleled approachability	typical accessibility
unsustainable	형용사	지속불가능한	not maintainable	maintainable
영어표현	품사	뜻	유의어	반의어

2024년 24번 번 문제

Hyper-mobility — the notion that more travel at faster speeds covering longer distances generates greater economic success — seems to be a distinguishing feature of urban areas, where more than half of the world's population currently reside. By 2005, approximately 7.5 billion trips were made each day in cities worldwide. In 2050, there may be three to four times as many passenger-kilometres travelled as in the year 2000, infrastructure and energy prices permitting. Freight movement could also rise more than threefold during the same period. Mobility flows have become a key dynamic of urbanization, with the associated infrastructure invariably constituting the backbone of urban form. Yet, despite the increasing level of urban mobility worldwide, access to places, activities and services has become increasingly difficult. Not only is it less convenient — in terms of time, cost and comfort — to access locations in cities, but the very process of moving around in cities generates a number of negative externalities. Accordingly, many of the world's cities face an unprecedented accessibility crisis, and are characterized by unsustainable mobility systems.

하이퍼 모빌리티 - 더 많은 이동이 더 빠른 속도로 더 긴 거리를 이동함으로써 경제적 성공을 더 많이 창출한다는 개념 - 이것은 현재 전 세계 인구의 절반이 넘게 거주하는 도시 지역의 특징으로 보입니다. 2005 년까지 전 세계 도시에서는 약 75 억 건의 여행이 매일 이루어졌습니다. 2050 년에는 2000 년과 비교하여 승객 이동 거리가 세 배에서 네 배 이상으로 증가할 수 있으며, 인프라 및 에너지 가격이 허용하는 한 화물 이동도 동일한 기간에 세 배 이상 증가할 수 있습니다. 이동 흐름은 도시화의 주요 동력이 되어 관련 인프라가 일관되게 도시 형태의 중추를 형성하게 됩니다. 그러나 전 세계적으로 증가하는 도시 이동 수준에도 불구하고 장소, 활동 및 서비스에 대한 접근이 점점 어려워지고 있습니다. 도시에서 위치에 접근하는 것은 편리하지 않을 뿐만 아니라(시간, 비용 및 편의성 측면에서) 도시에서 이동하는 과정 자체가 여러 부정적인 외부 효과를 발생시킵니다. 따라서 많은 세계의 도시가 전례없는 접근성 위기에 직면하고 지속가능하지 않은 이동 시스템을 가지고 있다고 특징지을 수 있습니다.

영어표현	품사	뜻	유의어	반의어
was born in Paris	동사 구	파리에서 태어났다	originated in Paris	-
outbreak	명사	발병	eruption, occurrence	containment, suppression
enormously successful	형용사	엄청나게 성공적인	highly accomplished	moderately accomplished
continue	동사	계속하다	persevere, endure	cease, stop
was awarded	동사 구	수상하다	be presented with, be granted	be deprived of, lose
numerous honors	표현	다수의 영예	various recognitions	limited recognitions
achievement	명사	업적, 성취	accomplishment, attainment	failure, non-achievement
영어표현	품사	뜻	유의어	반의어
was born in Paris	동사 구		originated in Paris	
outbreak	명사	발병	eruption, occurrence	containment, suppression
enormously successful	형용사	엄청나게 성공적인		

Jean Renoir (1894—1979), a French film director, was born in Paris, France. He was the son of the famous painter Pierre-Auguste Renoir. He and the rest of the Renoir family were the models of many of his father's paintings. At the outbreak of World War I, Jean Renoir was serving in the French army but was wounded in the leg. In 1937, he made La Grande Illusion, one of his better-known films. It was enormously successful but was not allowed to show in Germany. During World War II, when the Nazis invaded France in 1940, he went to Hollywood in the United States and continued his career there. He was awarded numerous honors and awards throughout his career, including the Academy Honorary Award in 1975 for his lifetime achievements in the film industry. Overall, Jean Renoir's influence as a film-maker and artist endures.

장 르누아르 (Jean Renoir) (1894—1979), 프랑스의 영화 감독으로, 그는 프랑스 파리에서 태어났습니다. 그는 유명한 화가 피에르 오귀스트 르누아르의 아들이었습니다. 그와 르누아르 가족은 그의 아버지의 많은 작품의 모델이 되었습니다. 제1차 세계대전이 발발할 때, 장 르누아르는 프랑스 군대에 복무 중이었지만 다리에 부상을 입었습니다. 1937년에는 그의 잘 알려진 작품 중 하나인 '라 그랑 일루전(La Grande Illusion)'을 제작했습니다. 이 작품은 매우 성공적이었지만 독일에서 상영이 허가되지 않았습니다. 제2차 세계대전 동안 나치가 1940년에 프랑스를 침공할 때, 그는 미국 할리우드로 이주하여 거기서 자신의 경력을 계속했습니다. 전 연도 동안, 그는 영화 산업에서의 평생 공로에 대한 1975년 아카데미 명예상을 비롯한 다양한 영예와 상을 받았습니다. 전체적으로 보면, 장 르누아르의 영화 감독 및 예술가로서의 영향력은 계속해서 이어져왔습니다.

영어표현	품사	뜻	유의어	반의어
encourage	동사	격려하다	motivate, inspire	discourage, dissuade
snacks included	동사 구	간식 포함	offer snacks	exclude snacks
family discounts	표현	가족 할인	give discounts to families	charge regular prices
be allowed	동사	허용되다	permit, authorize	forbid, prohibit
영어표현	품사	뜻	유의어	반의어
encourage	동사	격려하다	motivate, inspire	discourage, dissuade
snacks included	동사 구	간식 포함	offer snacks	exclude snacks
family discounts	표현	가족 할인	give discounts to families	charge regular prices

2024년 28번 문제

Creative Art Class for Kids

Want to encourage your child's artistic talent? Color World Art Center is going to have art classes for kids from June 1st to August 31st.

Class Programs & Schedule
- Clay Arts: Ages 4−6, Every Monday
- Cartoon Drawing: Ages 7−9, Every Thursday
- Watercolors: Ages 10−12, Every Friday

Class Time: 4 p.m. −6 p.m.

Monthly Fee
- $30 per child (snacks included)
- Family discounts are available (10% discount for each child).

Notes
- Only 10 kids are allowed per class.
- Kids should wear clothes that they don't mind getting dirty.

※ Sign up at Color World Art Center.

창의적 미술 수업 - 아이들을 위해

귀하의 아이의 예술적 재능을 촉진하고 싶나요? 컬러 월드 아트 센터에서는 6월 1일부터 8월 31일까지 아이들을 위한 미술 수업을 개최합니다.

수업 프로그램 및 일정

□ 클레이 아트: 4세 6세, 매주 월요일 □ 만화 드로잉: 7세 9세, 매주 목요일

□ 수채화: 10세~12세, 매주 금요일

수업 시간: 오후 4시 ~ 오후 6시

월 회비

□ 아동당 $30 (간식 포함)

□ 가족 할인 가능 (각 아동당 10% 할인).

참고 사항

□ 각 수업당 10명의 어린이만 허용됩니다.

□ 어린이들은 더러워져도 괜찮은 옷을 입어야 합니다.

※ 컬러 월드 아트 센터에서 등록하세요.

영어표현	품사	뜻	유의어	반의어
experts	명사	전문가들	specialists, authorities	amateurs, novices
suffer	동사	고통을 겪다	endure, undergo	enjoy, relish
beginners	명사	초보자들	novices, learners	experts
complex task	표현	복잡한 작업	intricate task, complicated job	simple task, uncomplicated job
combining multiple tasks	동명사	여러 작업 결합	merging multiple tasks	separating tasks
extensive practice	표현	광범위한 연습	rigorous practice	minimal training
limited domain	표현	한정된 영역	confined area, restricted field	broad domain, expansive field
key component skills	표현	핵심 구성 기술	essential skills, crucial abilities	supplementary abilities
tend to be	동사구	되기 쉽다	have a tendency to become	do not tend to be
automated	형용사	자동화된	mechanize, make automatic	manual, operate manually
demand	명사	수요	need, necessitate	lack, absence
resource	동사	제공하다	supply, allocate	withhold, retain
cognitive load	표현	인지 부하	cognitive burden	cognitive lightness
are divided	동사	나뉘어져 있다	be separated, be segmented	are combined, are unified
fluency	명사	유창함	smoothness, proficiency	stumbling, hesitation
same degree	표현	같은 정도	to an equal extent	to a different extent
automaticity	명사	자동성	automation, self-operation	manual operation
struggle to combine	동사 구	결합하는 데 어려움을 겪다	encounter difficulties in merging	merge effortlessly

2024년 35번 문제

Interestingly, experts do not suffer as much as beginners when performing complex tasks or combining multiple tasks. Because experts have extensive practice within a limited domain, the key component skills in their domain tend to be highly practiced and more automated. Each of these highly practiced skills then demands relatively few cognitive resources, effectively lowering the total cognitive load that experts experience. Thus, experts can perform complex tasks and combine multiple tasks relatively easily. Furthermore, beginners are excellent at processing the tasks when the tasks are divided and isolated. This is not because they necessarily have more cognitive resources than beginners; rather, because of the high level of fluency they have achieved in performing key skills, they can do more with what they have. Beginners, on the other hand, have not achieved the same degree of fluency and automaticity in each of the component skills, and thus they struggle to combine skills that experts combine with relative ease and efficiency

흥미롭게도, 전문가들은 복잡한 작업이나 여러 작업을 결합할 때 초보자보다 훨씬 덜 고통받습니다. 왜냐하면 전문가들은 제한된 도메인 내에서 광범위한 실습을 가지고 있어서, 그 도메인 내에서의 주요 구성 기술들은 매우 연습되어 있고 자동화되어 있는 경향이 있기 때문입니다. 이러한 고도의 연습된 기술 각각은 상대적으로 적은 인지 자원을 필요로하며, 결과적으로 전문가들이 경험하는 총 인지 부하를 효과적으로 낮추게 됩니다. 따라서 전문가들은 복잡한 작업을 수행하고 여러 작업을 상대적으로 쉽게 결합할 수 있습니다. 게다가, 초보자들은 작업이 분할되고 격리될 때 작업을 처리하는 데 뛰어납니다. 이것은 그들이 필연적으로 초보자보다 더 많은 인지 자원을 가지고 있지 않기 때문이 아니라, 핵심 기술을 수행하는 데 높은 숙련도를 달성했기 때문에 그들이 가진 것으로 더 많은 일을 할 수 있기 때문입니다. 반면에 초보자들은 각 구성 기술에서 동일한 정도의 능숙함과 자동성을 달성하지 못했기 때문에, 전문가들이 상대적으로 쉽고 효율적으로 결합하는 기술을 결합하는 데 어려움을 겪습니다.

흥미롭게도, 전문가들은 복잡한 작업이나 여러 작업을 결합할 때 초보자보다 훨씬 덜 고통받습니다.

영어표현	품사	뜻	유의어	반의어
sold out	동사	매진하다	completely purchased	available, in stock
instead	표현	대신	alternatively, in place of	in place, as is
settle	동사	해결하다	resolve, finalize	prolong, delay
hurriedly	동사	서둘러	quickly, hastily	thoughtfully consider
inquire	동사	조사하다	ask about	-
assignment	명사	과제	task, assignment	keep quiet, withhold comment
exclaim	동사	외치다	cry out, exclaim	encouraged, optimistic
suggest	동사	제안하다	propose, recommend	-
hesitantly	부사	주저하는	with hesitation	-
persist	동사	지속하다	continue, persevere	cease, discontinue
just around the corner	표현	곧 다가올	just nearby, imminent	far away, distant
alter	동사	변경하다	modify, change	maintain, preserve
영어표현	품사	뜻	유의어	반의어

2024년 43-45번 문제

When invited by her mother to go shopping after lunch, Ellen hesitantly replied, "Sorry, Mom. I have an English essay assignment I need to finish." Her mother persisted, "Come on! Your father's birthday is just around the corner, and you wanted to buy his birthday present by yourself." Ellen suddenly realized that her father's birthday was just two days away. So she altered her original plan to do the assignment in the library and decided to go to the shopping mall with her mother.

Upon arrival at the shopping center, her mother inquired, "Ellen, have you decided what to buy for his birthday present?" She quickly replied, "I would like to buy him a pair of soccer shoes." Ellen knew that her father had joined the morning soccer club recently and needed some new soccer shoes. She entered a shoe store and selected a pair of red soccer shoes. After buying the present, she told her mother, "Mom, now, I'm going to do my assignment in the cafe while you are shopping."

Ellen wanted to get a strawberry smoothie in the cafe, but it was sold out. So she bought a yogurt smoothie instead. The cafe was not very busy for a Saturday afternoon, and Ellen settled at a large table to work on her assignment. However, after a while, a group of students came in, and there weren't any large tables left. One of them came over to Ellen's table and politely asked, "Could you possibly move to that smaller table?" Ellen replied, "It's okay. I was just leaving anyway." She hurriedly gathered her assignment leaving the shoe bag behind under the table.

"It must be in the cafe," Ellen suddenly exclaimed when she realized the gift for her father was missing upon returning home. She felt so disheartened, worrying it would be impossible to find it. "Why don't you call the cafe?" suggested her mother. When she phoned the cafe and asked about the shoe bag, the manager said that she would check and let her know.

After a few minutes, she called back and told Ellen that she had just discovered it. Ellen was so pleased that the birthday gift had been found.

엘렌은 점심 후에 어머니에게 쇼핑에 가자는 제안을 받자 주저하는 듯이 대답했다. "미안해, 엄마. 영어 수업 숙제를 끝내야 돼." 그러나 어머니는 계속해서 말했다. "이제와서! 아빠 생일이 바로 다음 주에 다가왔는데 넌 그의 선물을 직접 사고 싶다고 했잖아." 엘렌은 갑자기 아버지 생일이 단 두 날 앞으로 다가왔다는 것을 깨달았다. 그래서 원래의 계획을 바꾸고 도서관에서 숙제를 하는 대신 어머니와 쇼핑몰로 가기로 결정했다.

쇼핑 센터에 도착하자 어머니가 물었다. "엘렌, 아버지 생일 선물 뭐로 할 건지 정했니?" 그녀는 빠르게 대답했다. "아버지에게 축구화를 선물하고 싶어." 엘렌은 아버지가 최근에 아침 축구 클럽에 가입했고 새로운 축구화가 필요하다는 것을 알고 있었다. 그녀는 신발 가게에 들어가 빨간 축구화 한 켤레를 골랐다. 선물을 사고 나서 그녀는 어머니에게 말했다. "엄마, 이제 나 카페에서 숙제하러 가볼게. 너는 쇼핑하면 돼."

엘렌은 카페에서 딸기 스무디를 마시고 싶었지만 품절이었다. 그래서 그녀는 요거트 스무디를 샀다. 토요일 오후에는 카페가 그렇게 붐비지 않아 엘렌은 큰 테이블에서 숙제를 하기로 했다. 그러나 얼마 후에 학생 그룹이 들어와 큰 테이블이 없었다. 그 중 한 명이 엘렌 테이블로 와서 정중하게 물었다. " 그 작은 테이블로 옮겨도 될까요?" 엘렌은 "괜찮아요. 나 방금 떠날 거예요." 라고 대답하고 테이블 밑에 신발 가방을 두고 급히 숙제를 모았다.

"카페에 있을 거야," 엘렌은 집에 돌아와 아버지 선물이 없다는 것을 깨닫자 갑자기 외쳤다. 그녀는 찾기 불가능할 것이라 걱정하며 심려에 빠졌다. "카페에 전화해봐야겠어?" 어머니가 제안했다. 그녀가 카페에 전화를 걸어 신발 가방에 대해 물었을 때, 매니저는 확인해보겠다고 말했다. 수분 후에 그녀는 전화를 걸어 엘렌에게 발견했다고 알려주었다. 엘렌은 생일 선물을 찾았다는 사실에 기뻤다.

었다. 엘렌은 생일 선물을 찾았다는 사실에 기뻤다.

시간이 소중한

당신을 위한

2024년 9월

수능의, 수능에 의한, 수능만을 위한
120개의 단어

당신의, 당신에 의한, 당신만을 위한
단어 암기 성공하세요!

2024년 9월 모의평가 3교시 영어영역
오답률이 가장 높은 15개 문제의 분석

[오답률 높은 순]

오답률 80%이상	오답률 60%이상	20% 이상이 선택	40% 이상이 선택

순위	문항 변호	오답률	배점	정답	선택지별 비율				
					①	②	③	④	⑤
1	38	84.4	2	5	2.6	6.9	24.1	50.7	15.6
2	34	84.2	3	5	17.4	26	24.5	16.3	15.8
3	33	79.8	3	4	24.6	19.1	15.4	20.2	20.7
4	37	72.7	3	5	4.5	21.1	24.9	22.2	27.3
5	21	70.8	3	2	9.2	29.2	28.3	17.4	15.8
6	42	67.1	2	5	4.4	12.4	14.7	35.6	32.9
7	39	64.5	3	3	3.3	10.1	35.5	34.4	16.7
8	40	63.9	2	2	16.2	36.1	20	18.8	8.9
9	24	63.6	3	1	36.4	18.8	20.3	12.5	11.9
10	41	61.9	2	1	38.1	28.5	15.1	10.4	7.9
11	32	61.2	2	2	17.4	38.8	19.1	14.4	10.3
12	23	56.1	2	5	5.7	17.6	17.3	15.5	43.9
13	36	55.7	2	4	3.3	14.5	17.4	44.3	20.4
14	31	55.2	2	4	13.1	17.8	12.1	44.8	12.4
15	29	51.8	2	3	9.3	13.7	48.2	15.6	13.2

[문제 순서 순]

순위	문항 변호	오답률	배점	정답	선택지별 비율				
					①	②	③	④	⑤
6	42	67.1	2	5	4.4	12.4	14.7	35.6	32.9
10	41	61.9	2	1	38.1	28.5	15.1	10.4	7.9
8	40	63.9	2	2	16.2	36.1	20	18.8	8.9
7	39	64.5	3	3	3.3	10.1	35.5	34.4	16.7
1	38	84.4	2	5	2.6	6.9	24.1	50.7	15.6
4	37	72.7	3	5	4.5	21.1	24.9	22.2	27.3
13	36	55.7	2	4	3.3	14.5	17.4	44.3	20.4
2	34	84.2	3	5	17.4	26	24.5	16.3	15.8
3	33	79.8	3	4	24.6	19.1	15.4	20.2	20.7
11	32	61.2	2	2	17.4	38.8	19.1	14.4	10.3
14	31	55.2	2	4	13.1	17.8	12.1	44.8	12.4
15	29	51.8	2	3	9.3	13.7	48.2	15.6	13.2
9	24	63.6	3	1	36.4	18.8	20.3	12.5	11.9
12	23	56.1	2	5	5.7	17.6	17.3	15.5	43.9
5	21	70.8	3	2	9.2	29.2	28.3	17.4	15.8

2024년 9월은 역대 최악의 난이도를 자랑했습니다. 100점 만점이 아니라 95점이 만점인 상태에서 시작했기 때문입니다. 34번과 38번의 정답률을 보면 20% 미만입니다. 5지선다에서 찍어서 맞을 확률은 20%인데, 이것보다 아래라는 것은 풀어서 맞춘 사람보다 찍어서 맞춘 사람이 더 많다는 뜻입니다. 각각 정답률이 15.8%, 15,6%입니다. 여기서 2개 정도 더 틀리는 것을 허용하는데, 1등급 학생들이 많이 무너졌을 시험입니다.

중위권이라고 쉽지 않습니다. 보통 오답률이 60~80%정도 되는 것은 적으면 3개에서 많으면 5개입니다. 그런데 이번에는 9개나 됩니다. 평소에 2등급을 가르는 문제가 5개인데 반해서 이번에는 10개나 됩니다. 2등급학생의 반 이상이 3등급을 맞았을 것입니다.

3등급 이하로도 최악의 시험이었습니다. 절망 자체였을 것입니다. 그런데 놀라운 점을 말씀드리겠습니다. 9월 모의고사에서 단어가 평소보다 엄청 어렵지는 않았습니다. 6월의 경우 3등급이 알아야 할 단어가 139개였는데 9월 모의고사는 120개입니다. 오히려 10%정도 줄었습니다. 보통 3등급을 가르는 단어의 양은 150~200개 정도입니다. 그에 비해서 단어가 복잡하거나 어렵지는 않았습니다. 3등급 친구들은 풀면서 의아했을 것입니다. 독해가 엄청 어려운 것 같지 않은데 문제가 풀리지 않는 이상한 경험을 했을 것입니다.

만약에 2024년 9월 모의고사를 풀고 실망하신 분들이 계시다면, 너무 낙담하지 않으시기 바랍니다. 9월 모의고사 기준으로 85점 이상을 맞았다면 수능 때는 1등급, 77점 이상을 맞았다면 2등급, 65점 이상을 맞았다면 3등급이 나올만 합니다. 다만 여기 나온 상위 15개문제를 제외하고 하위 13개의 문제는 다 맞는다는 조건입니다. 9월 모평에서 다루는 하위 13개 문제에서 반드시 연습해야 하는 단어는 120개입니다. 꼭꼭 씹어 드시기 바랍니다.

영어표현	품사	뜻	유의어	반의어
principal	명사	학장	Head, headmaster	-
construction	명사	건설	Building, development	Deconstruction, demolition
take place	동사 구	발생하다	Occur, happen	Stay still
safety concern	표현	안전에 대한 우려	Safety issue	lack of concern
direct	동사	지시하다	Guide, oversee	Indirect
take part in	동사 구	참여하다	Participate in, join	Abstain from, avoid
preferred schedule	표현	선호되는 일정	Preferred timetable	-
environment	명사	환경	Surroundings	Disarray, disorganization
in advance	부사 구	미리, 사전에	Ahead of time, beforehand	hereafter
영어표현	품사	뜻	유의어	반의어

2024년 18번 문제

Dear Parents, My name is Danielle Hamilton, and I am the principal of Techville High School. As you may know, there is major road construction scheduled to take place in front of our school next month. This raises safety concerns. Therefore, we are asking for parent volunteers to help with directing traffic. The volunteer hours are from 8:00 to 8:30 a.m. and from 4:30 to 5:00 p.m. on school days. If you are willing to take part in the traffic safety volunteer group, please email us with your preferred schedule at info@techville.edu. Your participation will be helpful in building a safer school environment for our students. Thank you in advance for your contributions. Sincerely, Danielle Hamilton

친애하는 학부모 여러분, 안녕하세요. 제 이름은 댄이엘 해밀턴이고, 저는 테크빌 고등학교의 교장입니다. 아마도 이미 알고 계실 것처럼, 다음 달에 학교 앞에서 주요 도로 공사가 예정되어 있습니다. 이로 인해 안전에 대한 우려가 생겼습니다. 따라서 교통 안전에 도움이 필요한 학부모 자원봉사자를 모집하고 있습니다. 자원봉사 시간은 학교일에 오전 8:00에서 8:30, 오후 4:30에서 5:00까지입니다. 교통 안전 자원봉사 그룹에 참여하고자 하는 경우, 원하는 시간대와 함께 info@techville.edu로 이메일을 보내주시기 바랍니다. 여러분의 참여는 학생들을 위한 더 안전한 학교 환경 조성에 도움이 될 것입니다. 기여해 주셔서 미리 감사드립니다. 진심으로, 댄이엘 해밀턴

영어표현	품사	뜻	유의어	반의어
cancel	동사	취소하다	Abandon, call off	Confirm, proceed
sightseeing	명사	구경	Tourism, touring	-
sign up	동사 구	등록하다	Enroll, register	Withdraw, drop out
lobby	명사	로비	Reception area, entrance hall	-
sprung off	동사 구	도약하다	Leap, jump off	Land, touch down
put on	동사 구	입다	Wear	Take off, remove
a turn of fortune	표현	운명의 전환	Twist of fate, change of luck	Consistency, unchanged fortune
영어표현	품사	뜻	유의어	반의어

2024년 19번 문제

The day trip to Midtown scheduled for today was canceled because the road leading there was blocked by heavy snow. "Luck just didn't run my way. Sightseeing in Midtown was why I signed up for this trip ..." Nancy said to herself, with a long sigh. She was thinking of all the interesting sights she wouldn't be able to enjoy. All of a sudden, there was a knock at the door. "News! We are going to the Pland Zoo near the hotel. We will meet in the lobby soon." It was the voice of her tour guide. She sprung off the couch and started putting on her coat in a hurry. "The Pland Zoo! That's on my bucket list! What a turn of fortune!" shouted Nancy

금일 예정된 미드타운 일일 여행은 무거운 눈으로 인해 이어지지 않아서 취소되었습니다. "운이 딱 맞지 않았어. 미드타운 구경이 이 여행에 참여한 이유였는데..." 나시는 긴 한숨을 쉬며 스스로에게 말했습니다. 그녀는 즐길 수 없게 된 모든 흥미로운 풍경을 생각하고 있었습니다. 갑자기 문이 노크되었습니다. "소식이에요! 호텔 근처에 있는 플랜드 동물원으로 갈 거에요. 곧 로비에서 만납시다." 그것은 그녀의 여행 가이드의 목소리였습니다. 그녀는 소파에서 튀어나와 급히 외투를 입기 시작했습니다. "플랜드 동물원! 이게 내 버킷 리스트에 있었어! 운이 찾아왔네!" 나시가 외쳤습니다.

영어표현	품사	뜻	유의어	반의어
comfortable	형용사	편안한	Cozy, relaxed	Uncomfortable, uneasy
misconception	명사	오해	Misunderstanding, fallacy	Clarity, understanding
self-confident	형용사	자신감 있는	Self-assured, self-reliant	Insecure, doubtful
fearlessly	표현	두려움 없이	Boldly, courageously	Timidly, fearfully
let it be present	구	그대로 두다	Allow it to exist, leave it as is	Remove it, discard
establish	동사	설립하다	Found, institute	Dismantle, disestablish
expand	동사	확장하다	Broaden, develop	Contract, shrink
inevitably	표현	불가피하게	Unavoidably, necessarily	Avoidably, preventably
vulnerability	명사	취약성	Susceptibility, frailty	Invulnerability, resilience
for a while	구	어느 정도의 시간 동안	Temporarily, momentarily	Permanently, indefinitely
from the ground up	구	처음부터 끝까지	Completely, thoroughly	Partially, incompletely
영어표현	품사	뜻	유의어	반의어

2024년 20번 문제

Confident is not the same as comfortable. One of the biggest misconceptions about becoming self-confident is that it means living fearlessly. The key to building confidence is quite the opposite. It means we are willing to let fear be present as we do the things that matter to us. When we establish some self-confidence in something, it feels good. We want to stay there and hold on to it. But if we only go where we feel confident, then confidence never expands beyond that. If we only do the things we know we can do well, fear of the new and unknown tends to grow. Building confidence inevitably demands that we make friends with vulnerability because it is the only way to be without confidence for a while. But the only way confidence can grow is when we are willing to be without it. When we can step into fear and sit with the unknown, it is the courage of doing so that builds confidence from the ground up.

자신감은 편안함과 같지 않습니다. 자신감을 갖는 것에 대한 가장 큰 오해 중 하나는 무모하게 살아간다는 것이라고 생각합니다. 자신감을 키우는 핵심은 꽤 반대입니다. 우리는 중요한 일을 할 때 두려움이 존재하도록 허용하려고 합니다. 어떤 일에 대해 자신감을 얻으면 기분이 좋습니다. 그곳에 머물러 있고 싶어합니다. 그러나 우리가 자신감을 느끼는 곳만 가게 된다면, 자신감은 그 이상으로 확장되지 않습니다. 우리가 잘할 수 있는 일만 하는 경우, 새로운 것과 알려지지 않은 것에 대한 두려움이 커지는 경향이 있습니다. 자신감을 키우는 것은 불가피하게 취약함과 친구가 되는 것을 요구합니다. 왜냐하면 잠시 동안 자신감 없이 있어야 하는 유일한 방법이기 때문입니다. 그러나 자신감이 성장할 수 있는 유일한 방법은 자신감 없이도 있을 준비가 되어 있을 때입니다. 우리가 두려움에 맞서서 불확실함과 함께 앉아있을 수 있을 때, 바로 그 행동이 기반에서부터 자신감을 쌓아올리는 용기입니다.

영어표현	품사	뜻	유의어	반의어
assimilate	동사	동화하다	Integrate, absorb	Isolate, segregate
the host culture	표현	호스트 문화	Local culture, native culture	Foreign culture, guest culture
conflict	명사	갈등	Dispute, disagreement	Harmony, agreement
partial	형용사	부분적인	Incomplete, not whole	Complete, whole
immigrant	명사	이민자	Settler, newcomer	Native, local
retain	동사	보존하다	Preserve, keep	Abandon, release
custom	명사	관습	Tradition, practice	Innovation, deviation
belief	명사	신념	Faith, conviction	Doubt, skepticism
language	명사	언어	Communication system	Silence, mute
pressure	명사	압력	Stress	Liberation, relief
conform	동사	순응하다	Comply, adapt	Resist, defy
maintain	동사	유지하다	Sustain, uphold	Neglect, abandon
identity	명사	정체성	Selfhood, individuality	Uniformity, sameness
determine	동사	결정하다	Decide, ascertain	Hesitate, waver
migrate	동사	이주하다	Move, relocate	Settle, stay
exclusion	명사	배제	Ostracism, inclusion	Inclusion, inclusionary
enlightenment	명사	깨달음	Awakening, insight	Ignorance, unawareness
acceptance	명사	수용	Approval, recognition	Rejection, disapproval
diversity	명사	다양성	Variety	Uniformity
recognize	동사	인지하다	Acknowledge, realize	Overlook, disregard
영어표현	품사	뜻	유의어	반의어
the host culture	표현	호스트 문화	Local culture, native culture	Foreign culture, guest culture

The need to assimilate values and lifestyle of the host culture has become a growing conflict. Multiculturalists suggest that there should be a model of partial assimilation in which immigrants retain some of their customs, beliefs, and language. There is pressure to conform rather than to maintain their cultural identities, however, and these conflicts are greatly determined by the community to which one migrates. These experiences are not new; many Europeans experienced exclusion and poverty during the first two waves of immigration in the 19th and 20th centuries. Eventually, these immigrants transformed this country with significant changes that included enlightenment and acceptance of diversity. People of color, however, continue to struggle for acceptance. Once again, the challenge is to recognize that other cultures think and act differently and that they have the right to do so. Perhaps, in the not too distant future, immigrants will no longer be strangers among us.

문화적 가치 및 생활 방식을 수용하는 필요성은 점점 더 증가하는 갈등이 되어가고 있습니다. 다문화주의자들은 이민자들이 자신들의 관습, 신념 및 언어를 일부 유지하는 부분적 동화 모델이 존재해야 한다고 제안합니다. 그러나 문화적 정체성을 유지하는 것보다 순응하는 압력이 있으며, 이러한 갈등은 이주한 지역사회에 크게 영향을 받습니다. 이러한 경험들은 새로운 것이 아닙니다. 19세기와 20세기의 이민의 첫 두 물결 동안 많은 유럽인들이 배제와 가난을 경험했습니다. 결국 이러한 이민자들은 이 나라를 변화시켜 계엄과 다양성 수용을 포함한 중요한 변화를 가져왔습니다. 그러나 인종 다양성을 가진 사람들은 여전히 수용을 위해 투쟁하고 있습니다. 다시 한 번 도전은 다른 문화가 다르게 생각하고 행동하며 그렇게 할 권리가 있다는 것을 인식하는 것입니다. 아마도 미래에는 이민자들이 우리 사이에서 더 이상 낯선 이들이 되지 않을 것일지도 모릅니다.

영어표현	품사	뜻	유의어	반의어
enrollment	명사	입학	Registration	Withdrawal, unenrollment
racial	형용사	인종의	Ethnic, ethnic-based	Nonracial, race-neutral
ethnic	형용사	민족의	Cultural, cultural-based	Nonethnic, ethnically neutral
exhibit	동사/명사	전시하다	Display, showcase	Conceal, hide
영어표현	품사	뜻	유의어	반의어
display	동사/명사	전시하다	Exhibit, showcase	Conceal, hide
remarkable	형용사	놀라운	Noteworthy, exceptional	Ordinary, average
earn	동사	얻다	Gain, acquire	Lose, forfeit
doctoral degree	명사	박사 학위	PhD, doctorate	Undergraduate degree
debut	명사	데뷔	Introduction, first appearance	Conclusion, finale
glowing	형용사	빛나는	Radiant, shining	Dim, dull
recital	명사	연주회	Concert, performance	Silence, quiet
admire	동사	존경하다	Respect, look up to	Disapprove, criticize

2024년 25번 문제

The table above shows the college enrollment rates of 18- to 24-year-olds from five racial/ethnic groups in the U.S. in 2011, 2016, and 2021. Among the five groups, Asians exhibited the highest college enrollment rate with more than 50% in each year listed in the table. Whites were the second highest in terms of the college enrollment rate among all the groups in all three years, while the rate dropped below 40% in 2021. The college enrollment rates of both Blacks and Hispanics were higher than 35% but lower than 40% in 2011 and in 2021. Among the years displayed in the table, 2016 was the only year when the college enrollment rate of Hispanics was higher than that of Blacks. In each year, American Indians/Alaska Natives showed the lowest college enrollment rate.

위의 표는 미국에서 2011 년, 2016 년 및 2021 년에 18 세에서 24 세까지 다섯 가지 인종/민족 그룹의 대학 입학률을 보여줍니다. 다섯 그룹 중에서 아시아인들은 표에 나와 있는 각 연도에서 50% 이상의 가장 높은 대학 입학률을 보였습니다. 백인들은 세 해 모두에서 모든 그룹 중 대학 입학률이 두 번째로 높았으며, 2021 년에는 40% 아래로 떨어졌습니다. 흑인과 히스패닉의 대학 입학률은 2011 년과 2021 년에 35% 이상이지만 40% 미만이었습니다. 표에 표시된 연도 중 2016 년은 히스패닉의 대학 입학률이 흑인의 대학 입학률보다 높은 유일한 연도였습니다. 각 연도마다 아메리칸 인디언/알래스카 원주민은 가장 낮은 대학 입학률을 보여주었습니다

2024년 26번 문제

Charles Rosen, a virtuoso pianist and distinguished writer, was born in New York in 1927. Rosen displayed a remarkable talent for the piano from his early childhood. In 1951, the year he earned his doctoral degree in French literature at Princeton University, Rosen made both his New York piano debut and his first recordings. To glowing praise, he appeared in numerous recitals and orchestral concerts around the world. Rosen's performances impressed some of the 20th century's most well-known composers, who invited him to play their music. Rosen was also the author of many widely admired books about music. His most famous book, The Classical Style, was first published in 1971 and won the U.S. National Book Award the next year. This work, which was reprinted in an expanded edition in 1997, remains a landmark in the field. While writing extensively, Rosen continued to perform as a pianist for the rest of his life until he died in 2012.

샤를 로젠(Charles Rosen), 능동적인 피아니스트이자 훌륭한 작가로, 1927년 뉴욕에서 태어났습니다. 로젠은 어린 어린 시절부터 피아노에 대한 놀라운 재능을 나타냈습니다. 1951년에 프린스턴 대학에서 프랑스 문학 박사 학위를 받은 해에 로젠은 뉴욕에서의 첫 번째 피아노 데뷔와 최초의 녹음을 성취했습니다. 빛나는 평가를 받으며 그는 세계 각지에서 다수의 독주회와 관현악 단원들에게 나타났습니다. 로젠의 연주는 20세기 가장 유명한 작곡가 중 일부를 감동시켰고, 그들은 로젠에게 자신들의 음악을 연주할 것을 초대했습니다. 로젠은 음악에 관한 많은 칭찬을 받은 책의 저자이기도 했습니다. 그의 가장 유명한 책인 《클래식 스타일》은 1971년에 처음 출판되어 다음 해에 미국 국립도서상을 수상했습니다. 이 작품은 1997년에 확장판으로 재인쇄되었으며 여전히 그 분야에서의 획기적인 업적으로 평가받고 있습니다. 많은 글을 쓰면서 로젠은 2012년에 돌아가기 전까지 평생 동안 피아니스트로서 연주를 계속했습니다.

영어표현	품사	뜻	유의어	반의어
stay fit	동사 구	건강을 유지하다	Maintain health, keep in shape	Lose fitness, become unfit
appreciate	동사	감사하다	Value, be thankful for	Disregard, depreciate
sight	명사	광경	View, scene	Blindness, darkness
participant	명사	참가자	Attendee, member	Observer, spectator
be accompanied by	동사 구	~와 함께 하다	Come with, go along with	Go alone, separate from
영어표현	품사	뜻	유의어	반의어
	동사 구	건강을 유지하다		
	동사	감사하다	Value, be thankful for	Disregard, depreciate

Brushwood National Park Tour Program

Walking in nature is a great way to stay fit and healthy. Enjoy free park walks with our volunteer guides, while appreciating the beautiful sights and sounds of the forest.

Details
- Open on weekdays from March to November
- Easy walk along the path for one hour (3 km)
- Groups of 15 to 20 per guide

Registration
- Scan the QR code to sign up for the tour.

Note
- A bottle of water will be provided to each participant.
- Children under 12 must be accompanied by an adult.
- Tours may be canceled due to weather conditions.

※ If you have any questions, please email us at brushwoodtour@parks.org.

부쉬우드 국립 공원 투어 프로그램

자연 속을 걷는 것은 건강하게 유지하고 건강을 즐길 수 있는 좋은 방법입니다. 우리의 자원 봉사 안내자와 함께 아름다운 숲의 풍경과 소리를 감상하며 무료 공원 산책을 즐겨보세요.

세부 정보
· 3 월부터 11 월까지 평일에 개방
· 1 시간 동안 경로를 따라 쉬운 산책 (3km)
· 가이드 당 15~20 명의 그룹

등록
· 투어에 등록하려면 QR 코드를 스캔하세요.

참고
· 각 참가자에게는 물병이 제공됩니다.
· 만 12 세 미만의 어린이는 성인이 동반해야 합니다.
· 날씨 조건에 따라 투어가 취소될 수 있습니다.

※ 궁금한 사항이 있으면 brushwoodtour@parks.org 로 이메일을 보내주시기 바랍니다.

영어표현	품사	뜻	유의어	반의어
historical	형용사	역사적인	Historic, chronological	Contemporary, modern
textile	명사	직물	Fabric, cloth	Non-textile, non-fabric
fiber	명사	섬유	Thread, filament	-
available	형용사	이용 가능한	Accessible, obtainable	Unavailable, inaccessible
particularly	부사	특히	Especially, notably	Generally, commonly
increase	동사	증가	Expand, grow	Decrease, decline
availability	명사	이용 가능성	Accessibility, presence	Unavailability, absence
subsequent	형용사	이후의	Following, succeeding	Previous, prior
place-bound	형용사	특정 장소에 묶인	confined to a place	unrestricted
acquire	동사	얻다	Obtain, gain	Lose, relinquish
connection	명사	연결	Link, association	Disassociate, detach
counter	동사	반대하다	Oppose, go against	Support, favor
disconnect	동사	연결을 끊다	Separate, detach	Connect, attach
appreciation	명사	감사	Recognition, understanding	Depreciation, devaluation
resource	명사	자원	Asset, reserve	deficit
disregard	동사	무시하다	Ignore, overlook	Acknowledge, recognize
renew	동사	갱신하다	Revitalize, restore	Neglect, ignore
geography	명사	지리/지리학	Terrain, landforms	Demography, demographics
영어표현	품사	뜻	유의어	반의어

Why is the value of place so important? From a historical perspective, until the 1700s textile production was a hand process using the fibers available within a particular geographic region, for example, cotton, wool, silk, and flax. Trade among regions increased the availability of these fibers and associated textiles made from the fibers. The First Industrial Revolution and subsequent technological advancements in manufactured fibers added to the fact that fibers and textiles were no longer "place-bound." Fashion companies created and consumers could acquire textiles and products made from textiles with little or no connection to where, how, or by whom the products were made. This countered a disconnect between consumers and the products they use on a daily basis, a loss of understanding and appreciation in the skills and resources necessary to create these products, and an associated disregard for the human and natural resources necessary for the products' creation. Therefore, renewing a value on place reconnects the company and the consumer with the people, geography, and culture of a particular location.

장소의 가치는 왜 중요한가요? 역사적인 관점에서 1700년까지 텍스타일 생산은 특정 지리적 지역 내에서 사용 가능한 섬유를 사용하는 손작업으로 이루어졌습니다. 예를 들면 면, 양모, 실크, 그리고 파마 섬유 등이 있습니다. 지역 간 무역이 이러한 섬유와 관련된 직물의 가용성을 높였습니다. 제1차 산업혁명과 그 이후의 기술적 발전으로 제조된 섬유가 더 이상 "장소에 구속되지 않게" 되었습니다. 패션 회사들이 제품을 만들고 소비자가 그 제품을 획득할 때 그 제품이 어디에서, 어떻게, 누가 만들었는지와 관련이 거의 없거나 전혀 없었습니다. 이로 인해 소비자와 그들이 일상적으로 사용하는 제품 간의 연결이 끊어졌고, 이로 인해 이 제품을 만드는 데 필요한 기술과 자원에 대한 이해와 감사가 감소했으며, 제품을 만드는 데 필요한 인간 및 자연 자원에 대한 무시가 발생했습니다. 따라서 장소에 대한 가치를 되돌리면 회사와 소비자가 특정 위치의 사람, 지리, 문화와 다시 연결됩니다.

영어표현	품사	뜻	유의어	반의어
organization	명사	조직	Institution, association	Disorganization, disarray
offer	동사/명사	제안하다	Present, propose	Withhold, deny
factor	명사	요소	Element, component	Irrelevance, non-factor
include	동사	포함하다	Incorporate	Exclude, omit
reliance	명사	의존	Dependence, trust	Independence, self-reliance
flexible	형용사	유연한	Adaptable, versatile	Inflexible, rigid
emerging	형용사	(새롭게) 떠오르는	developing	Established, existing
select	동사	선택하다	Choose, pick	Reject, decline
characteristics	명사	특성	Traits, features	Deficiencies, shortcomings
suit for	동사	적합하다	Be suitable for, be appropriate for	Unsuitable, inappropriate for
balance	명사/동사	균형	Equilibrium, stability	Imbalance, instability
gradually	부사	점차적으로	Gradually, steadily	Abruptly, suddenly
current	형용사/명사	현재의	Present, existing	Past, previous
barrier	명사	장애물	Obstacle, hindrance	Opening, gateway
dominant	형용사	우세한	Leading, predominant	Subordinate, submissive
implications	명사	함축	Consequences, repercussions	Causes, origins
regard to	표현	~에 대해서	Concerning, with respect to	Disregarding, ignoring

2024년 35번 문제

Although organizations are offering telecommuting programs in greater numbers than ever before, acceptance and use of these programs are still limited by a number of factors. These factors include manager reliance on face-to-face management practices, lack of telecommuting training within an organization, misperceptions of and discomfort with flexible workplace programs, and a lack of information about the effects of telecommuting on an organization's bottom line. Despite these limitations, at the beginning of the 21st century, a new "anytime, anywhere" work culture is emerging. Care must be taken to select employees whose personal and working characteristics are best suited for telecommuting. Continuing advances in information technology, the expansion of a global workforce, and increased desire to balance work and family are only three of the many factors that will gradually reduce the current barriers to telecommuting as a dominant workforce development. With implications for organizational cost savings, especially with regard to lower facility costs, increased employee flexibility, and productivity, telecommuting is increasingly of interest to many organizations.

비록 기업들이 이전보다 더 많은 수의 원격 근무 프로그램을 제공하고 있지만, 이러한 프로그램의 수용과 사용은 여전히 여러 가지 요인에 제한을 받고 있습니다. 이러한 요인에는 관리자가 대면 관리 관행에 의존하는 것, 조직 내의 원격 근무 교육 부족, 유연한 직장 프로그램에 대한 오해와 불안, 그리고 원격 근무가 기업의 수익에 미치는 영향에 대한 정보 부족이 포함됩니다. 이러한 제한들에도 불구하고 21 세기 초에는 새로운 "언제 어디서나"의 업무 문화가 떠오르고 있습니다. 원격 근무에 가장 적합한 개인 및 직무 특성을 갖춘 직원을 선택하는 것이 중요합니다. 정보 기술의 지속적인 발전, 글로벌 직업인력의 확대, 업무와 가족의 균형을 맞추려는 욕구의 증가는 원격 근무를 주요 직업 개발로서의 현 barriers 를 점차 해소할 것으로 기대됩니다. 특히 시설 비용 절감, 직원의 유연성 증대, 생산성 증가와 관련하여 기업의 비용 절감에 영향을 미치는 원격 근무는 많은 기업들에게 점점 더 관심을 받고 있습니다.

영어표현	품사	뜻	유의어	반의어
escape	동사/명사	피하다	Flee, run away	Stay, remain
bill	명사/동사	청구서	Invoice, statement	-
complain	동사	불평하다	Protest	Praise
concerned about	표현	~에 관해 걱정하다	anxious regarding	indifferent to
medical treatment	표현	의료 치료	Healthcare, therapy	Non-medical treatment, alternative therapy
improve	동사	개선하다	Enhance, better	Deteriorate, worsen
thrill	명사/동사	흥분	Excitement, exhilaration	Boredom, dullness
reach	동사	도달하다	Achieve, attain	Retreat, withdraw
bark	동사	짖다	-	Be silent, be quiet
pond	명사	연못	Small lake, pool	Dry land, dry ground
whisper	동사	속삭이다	Murmur, speak softly	Speak loudly, shout
ease	동사	완화하다	Alleviate, relieve	Intensify stress, heighten tension
blew	동사	바람이 불다	gust	Inhale, absorb
fiercely	부사	격렬하게	Intensely, violently	Mildly, gently
nervous	형용사	신경 쓰이는	Anxious, apprehensive	Calm, composed
companion	명사	동료	Partner, comrade	Adversary, opponent
shone around	동사 구	빛을 내다	Radiate, glow	Dim, fade
pack up	동사 구	패킹하다	Pack away, pack together	Unpack, unpacking
energetically	부사	활기차게	Vigorously, actively	Lethargically, sluggishly
exclaim	동사	외치다	Shout, cry out	Suppress, withhold
charm	명사/동사	매력	Allure, attractiveness	-
warn	동사	경고하다	Caution, advise	Encourage, approve
protective gear	표현	보호장비	Safety equipment	unprotected
tie up	표현	묶다	Bind, fasten	Untie, release

In July, people in the city often escaped to relax in the mountains. Sean didn't yet know it, but he was about to have the experience of a lifetime. "When I look around, all I see is the work I haven't finished and the bills I haven't paid," he complained over the phone to his friend and doctor, Alex. Concerned about Sean, he said, "You've been stressed for weeks. Come see me for medical treatment if things don't improve."

Upon hearing this offer, Sean replied, "Thanks, but I know just the treatment I need." He told his friend about the Vincent Mountain hike he had read about. Alex anxiously warned, "Even in the summer, hiking can be dangerous. Don't forget your safety checklist." Following his friend's words, he added protective gear to his camping equipment. Sean put on his hiking clothes and tied up his boots. He almost forgot his new hiking sticks as he walked out the door with his dog, Toby.

Having hiked for several hours, Sean was thrilled to reach the top of Vincent Mountain. As Toby started to bark, Sean turned around and found him running toward a large pond. "What a nice, quiet place," Sean whispered to himself. Among the trees, he could ease the stress of recent weeks. As night approached, however, the wind blew fiercely. Sean became nervous. Unable to sleep, he called to his companion, "Come here, Boy!" He held the dog close in an effort to ignore the fear rushing in.

After what felt like the longest night of Sean's life, the sky finally turned a beautiful shade of pink, and the warm sun shone around him. He packed up his equipment, enjoying his last moments in the mountain air. Finding Toby energetically running next to the campsite, Sean said, "You must be as excited as I am after surviving a night like that!" Sean went down the mountain with a renewed sense of joy, and he exclaimed, "My treatment worked like a charm!"

7월에는 도시 사람들이 종종 산으로 휴식을 취하러 가곤 했습니다. 션은 아직 모르고 있었지만, 그는 평생 경험할 일이 있을 것이었습니다. "주변을 둘러봐도 보이는 건 미처 끝내지 못한 일과 지불하지 않은 빌이야," 그는 친구이자 의사인 알렉스에게 전화로 토로했습니다. 션에 대해 걱정한 알렉스는 " 몇 주 동안 스트레스를 받고 있어. 상황이 나아지지 않으면 의료 치료를 받으러 와"라고 말했습니다.

이 제안을 듣고 션은 "고마워, 그런데 필요한 치료를 정확히 알아"라고 대답했습니다. 그는 자신이 읽은 빈센트 마운틴 하이킹에 대해 친구에게 얘기했습니다. 알렉스는 여름에도 하이킹이 위험할 수 있다고 초조하게 경고했습니다. "심지어 여름에도 하이킹은 위험할 수 있어. 안전 체크리스트를 잊지 마세요." 친구의 말을 따라 그는 캠핑 장비에 보호장비를 추가했습니다. 션은 하이킹 옷을 입고 부츠를 묶었습니다. 그는 새로운 하이킹 스틱을 거의 잊고 개 토비와 함께 문을 나서기 시작했습니다.

여러 시간 동안 하이킹을 한 끝에 션은 빈센트 마운틴 정상에 도달한 것에 기뻐했습니다. 토비가 짖기 시작하자 션은 돌아보니 그가 큰 연못 쪽으로 달려가고 있었습니다. "정말 멋진 조용한 곳이야," 션은 혼자 중얼거렸습니다. 나무 사이에서 그는 최근 몇 주 동안의 스트레스를 덜 수 있었습니다. 그러나 밤이 다가오면 바람이 거센 소리로 불다. 션은 긴장했습니다. 자다 못하고 그는 동반자에게 " 여기로 와, 소년!"이라고 부르며 개를 가까이 끌어안아 두려움을 무시하려 했습니다.

션의 삶에서 가장 긴 밤처럼 느껴진 후, 하늘은 드디어 아름다운 핑크색으로 변하고 따뜻한 태양이 그 주변을 비췄습니다. 그는 장비를 싸들고 산 공기에서의 마지막 순간을 즐겼습니다. 토비가 캠프장 옆에서 활기차게 달리고 있을 때, 션은 " 그래서 그런 밤을 이겨내고 나니까 너도 나만큼 기뻐할거야!"라고 말했습니다. 션은 새로운 기쁨의 감정으로 산을 내려가며 "내 치료가 완벽하게 작동했어!"라고 외쳤습니다.

시간이 소중한
당신을 위한

2024년 수능

수능의, 수능에 의한, 수능만을 위한
213개의 단어

당신의, 당신에 의한, 당신만을 위한
단어 암기 성공하세요!

2024년 11월 수능 3교시 영어영역
오답률이 가장 높은 15개 문제의 분석

오답률 80%이상	오답률 60%이상	20% 이상이 선택	40% 이상이 선택

[오답률 높은 순]

	2024년								
	수능								
순위	문항 번호	오답률	배점	정답	선택지별 비율				
					①	②	③	④	⑤
1	33	85.7	3	5	24.7	26.6	17.3	17.2	14.3
2	34	77.9	3	4	19.7	29	9.2	22.1	20.1
3	37	69.3	3	4	5.5	17.3	17.6	30.7	28.8
4	36	68.3	2	4	2.1	23.9	16.4	31.7	25.9
5	38	63.5	2	3	3.6	10.1	36.5	38.1	11.6
6	32	61.6	2	2	22.9	38.4	10.3	12.2	16.1
7	42	58.1	2	5	3	15.6	11.1	28.5	41.9
8	23	58.1	2	2	17.9	41.9	13.1	12.4	14.8
9	41	56.3	2	2	21.5	43.7	12.5	15.2	7.1
10	40	51.9	2	1	48.1	24.7	11.6	9.3	6.3
11	29	50.5	2	2	10.8	49.5	10.4	17.5	11.8
12	21	49.3	3	4	8.8	16.6	7.7	50.7	16.2
13	39	48	3	4	2.2	7.6	11.3	52	26.9
14	11	45.6	2	5	5.1	12.8	25.8	1.9	54.4
15	43	42.4	2	5	1.6	4.9	25.9	9.9	57.6

[문제 순서 순]

	2024년								
	수능								
순위	문항 번호	오답률	배점	정답	선택지별 비율				
					①	②	③	④	⑤
14	11	45.6	2	5	5.1	12.8	25.8	1.9	54.4
12	21	49.3	3	4	8.8	16.6	7.7	50.7	16.2
8	23	58.1	2	2	17.9	41.9	13.1	12.4	14.8
11	29	50.5	2	2	10.8	49.5	10.4	17.5	11.8
6	32	61.6	2	2	22.9	38.4	10.3	12.2	16.1
1	33	85.7	3	5	24.7	26.6	17.3	17.2	14.3
2	34	77.9	3	4	19.7	29	9.2	22.1	20.1
4	36	68.3	2	4	2.1	23.9	16.4	31.7	25.9
3	37	69.3	3	4	5.5	17.3	17.6	30.7	28.8
5	38	63.5	2	3	3.6	10.1	36.5	38.1	11.6
13	39	48	3	4	2.2	7.6	11.3	52	26.9
10	40	51.9	2	1	48.1	24.7	11.6	9.3	6.3
9	41	56.3	2	2	21.5	43.7	12.5	15.2	7.1
7	42	58.1	2	5	3	15.6	11.1	28.5	41.9
15	43	42.4	2	5	1.6	4.9	25.9	9.9	57.6

2024 년 수능은 역대 절대평가가 실행된 이후 수능시험 중 가장 어려운 시험이었습니다. 2021 년 기준 영어 1 등급을 맞은 학생들은 전체 인원 중 12.66%에 달합니다. 그런데 2024 년은 4.71%에 지나지 않습니다. 이것에 대한 이유로는 크게 2 가지가 있습니다. 첫 번째 평가원의 실수입니다. 상대적으로 9월달에 비해서 11월달은 조절을 잘한 편입니다. 9월 달 정답률이 40% 미만인 문제의 수는 11 개인데 반해서 11 월달은 6 개입니다. 상위권학생들이 체감상 더 쉽다고 느껴질 수 있습니다. 하지만 그렇다 하더라도 너무 어려웠습니다. 9 월달과 마찬가지로 정답률 20%미만인 문제가 있었고 6 개 모두가 오답지에 20% 이상이 선택한 답지를 가지고 있습니다. 즉, 6 개 문제들 모두가 중상위권 학생들이 풀어서 틀린 문제들이라는 것입니다.

2 등급을 방어한다는 목표를 가진 학생들에게는 좀 더 수월한 시험이었습니다. 앞서 말한 고난이도 6 개 문제를 제외하고 나머지는 그럭저럭 평범한 수준으로 출제되었기 때문입니다. 다만 2 등급을 목표로 한 학생들이 고난이도 6 개 문제에 얽매였다면 시험 전체의 밸런스가 붕괴되어 목표한 등급방어를 하지 못했을 수 있습니다.

마지막으로 3 등급을 목표로 한 학생들에게 상당히 어려운 시험이었을 것입니다. 왜냐하면 듣기문제 11 번에서 이미 하나를 틀리고 시작했을 것이기 때문입니다. 게다가 33 번 문제 같은 경우도 틀린다고 보고 시험을 시작했다면 만점이 95 점입니다. 오답률 상위 15 개 문제중에서 딱 1 개, 21 번을 제외하고 나머지 모든 문제들은 함정 오답지를 가지고 있었습니다. 20% 이상이 선택한 오답지가 2 개인 것들도 4 개나 됩니다. 때문에 중하위권 학생들 역시 엄청나게 휘둘렸을 것으로 보입니다. 이런 것을 경험한 우리 학생들에게 가장 필요한 것은 단어의 정확한 해석과 사용능력입니다. 유의어 반의어의 관계 그리고 단어가 문맥안에서 제대로 해석될 수 있게 만드는 문해력. 이것들이 떨어지면 함정 오답에 걸려 넘어졌을 것입니다. 다시 한번, 이것을 목표로 한 학생들은 단어를 정확하게 암기하고 활용하는 능력까지 가지고 계서야 합니다. 쉽지 않습니다. 하지만 불가능한 것이 아니기에, 파이팅 하시기 바랍니다!

영어표현	품사	뜻	유의어	반의어
launch	동사	시작하다	Start	End, conclude
contain	동사	포함하다	Include, incorporate	Exclude, omit
variety	명사	다양성	Diversity	Uniformity, sameness
content	명사	내용	Substance	Empty
production	명사	생산	Manufacturing, creation	Consumption, consumption
consist of	동사	~로 이루어지다	Comprise, be composed of	Lack, be devoid of
design	명사	디자인	Blueprint	Disorder, chaos
suit	동사	어울리다	Match, fit	Clash, mismatch
advanced	형용사	선진의	Innovative, cutting-edge	Outdated, old-fashioned
cost	명사	비용	Expense, expenditure	Savings, savings
instructor	명사	강사	Teacher, educator	Student, learner
open up	표현	열다	Unlock, uncover	Close, shut
creativity	명사	창의력	Innovation, originality	Imitation, replication
영어표현	품사	뜻	유의어	반의어

2024년 18번 문제

I'm Charlie Reeves, manager of Toon Skills Company. If you're interested in new webtoon-making skills and techniques, this post is for you. This year, we've launched special online courses, which contain a variety of contents about webtoon production. Each course consists of ten units that help improve your drawing and story-telling skills. Moreover, these courses are designed to suit any level, from beginner to advanced. It costs $45 for one course, and you can watch your course as many times as you want for six months. Our courses with talented and experienced instructors will open up a new world of creativity for you. It's time to start creating your webtoon world at https://webtoonskills.com.

안녕하세요, 저는 툰 스킬즈 컴퍼니 매니저 찰리 리브스입니다. 새로운 웹툰 제작 기술과 기법에 관심이 있다면, 이 글이 당신을 위한 것입니다. 올해에는 특별한 온라인 강좌를 시작했는데, 웹툰 제작에 관한 다양한 콘텐츠가 포함되어 있습니다. 각 강좌는 드로잉과 스토리텔링 기술을 향상시키는 데 도움이 되는 10 개의 단원으로 구성되어 있습니다. 게다가 이러한 강좌는 초급자부터 고급자까지 모든 수준에 맞게 설계되었습니다. 한 강좌당 비용은 $45 이며, 6 개월 동안 여러 차례 강좌를 시청할 수 있습니다. 유능하고 경험이 풍부한 강사들이 진행하는 저희 강좌는 당신에게 창의성의 새로운 세계를 열어줄 것입니다. 지금 https://webtoonskills.com 에서 당신만의 웹툰 세계를 창조해보세요.

영어표현	품사	뜻	유의어	반의어
back and forth	부사	왔다 갔다	-	Stationary, still
direction	명사	방향	Path, course	Misdirection, misguidance
at ease	형용사	편안한	Comfortable, relaxed	Uncomfortable, uneasy
look up	동사	찾아보다	Search, research	Ignore, neglect
in front of	표현	앞에	Before, ahead of	Behind, at the back of
just in time	부사	딱 제 시간에	Right on time, precisely	Too late, belatedly
lean back	표현	등을 기대다	recline backward	Sit upright, straighten up
unoccupied seat	표현	빈 자리	Vacant chair, empty place	Occupied seat, taken place
deep breath	표현	깊게 숨을 들이마서	Inhalation, inspiration	Shallow breath, breathlessness
able to relax	표현	편안히 쉬다	Capable of unwinding	Unable to relax, tense
영어표현	품사	뜻	유의어	반의어

David was starting a new job in Vancouver, and he was waiting for his bus. He kept looking back and forth between his watch and the direction the bus would come from. He thought, "My bus isn't here yet. I can't be late on my first day." David couldn't feel at ease. When he looked up again, he saw a different bus coming that was going right to his work. The bus stopped in front of him and opened its door. He got on the bus thinking, "Phew! Luckily, this bus came just in time so I won't be late." He leaned back on an unoccupied seat in the bus and took a deep breath, finally able to relax.

데이비드는 밴쿠버에서 새로운 직장을 시작하려고 하며, 그는 버스를 기다리고 있었습니다. 그는 시계와 버스가 올 방향 사이를 번갈아 보며 기다렸습니다. 그는 생각했습니다. "내 버스는 아직 안 왔어. 첫 날에 늦으면 안 돼." 다윗은 안심할 수 없었습니다. 다시 올려다보자, 그는 자기 직장으로 향하는 다른 버스가 오고 있다는 것을 보았습니다. 버스는 그의 앞에서 멈추고 문을 열었습니다. 그는 "휴! 다행히도 이 버스가 제 시간에 왔어. 늦지 않아서 다행이야." 생각하며 그 버스에 탔습니다. 그는 버스 안의 빈 좌석에 등을 기대며 심호흡을 하며 마침내 편안해질 수 있었습니다.

영어표현	품사	뜻	유의어	반의어
value	명사	가치	Worth, importance	Devalue, depreciate
contribute	동사	기여하다	Contribute to, add to	Withhold, hold back
creation	명사	창조	Production, formation	Destruction, demolition
maintenance	명사	유지보수	Upkeep, preservation	Neglect
half the battle	구	전투 시작부분	-	-
in the right direction	구	올바른 방향으로	In the correct direction	incorrectly
distribute	동사	분배하다	Dispense, allocate	Gather, collect
along with a description	표현	설명과 함께	including an explanation	lacking an explanation
critical	형용사	중요한	Crucial, vital	Insignificant, inconsequential
visual representation	표현	시각적 표현	Visual portrayal	verbal description
perform	동사	수행하다	Execute, carry out	neglect
key shift	표현	중요한 변화	crucial transition	Minor shift, insignificant change
transform	동사	변형하다	Change, alter	Maintain, preserve
영어표현	품사	뜻	유의어	반의어

Values alone do not create and build culture. Living your values only some of the time does not contribute to the creation and maintenance of culture. Changing values into behaviors is only half the battle. Certainly, this is a step in the right direction, but those behaviors must then be shared and distributed widely throughout the organization, along with a clear and concise description of what is expected. It is not enough to simply talk about it. It is critical to have a visual representation of the specific behaviors that leaders and all people managers can use to coach their people. Just like a sports team has a playbook with specific plays designed to help them perform well and win, your company should have a playbook with the key shifts needed to transform your culture into action and turn your values into winning behaviors.

가치만으로는 문화를 창조하고 구축하지 못합니다. 가치를 일부만 실천하는 것은 문화를 창조하고 유지하는 데 기여하지 않습니다. 가치를 행동으로 전환하는 것은 전쟁의 반만을 이루는 것일 뿐입니다. 확실히 이것은 옳은 방향으로의 한 걸음이지만, 이러한 행동은 그런 다음 조직 전체에 널리 공유되고 배포되어야 하며, 그에 대한 명확하고 간결한 설명이 동반되어야 합니다. 단순히 이야기하는 것만으로는 충분하지 않습니다. 리더와 모든 인사 담당자가 자신의 팀을 지도하는 데 사용할 수 있는 구체적인 행동의 시각적 표현이 중요합니다. 스포츠 팀이 승리하고 좋은 성과를 내기 위해 설계된 특정 플레이를 담은 플레이북을 갖는 것과 마찬가지로 귀사는 문화를 행동으로 전환하고 가치를 이기는 행동으로 바꾸기 위한 필수적인 변화를 담은 플레이북을 가져야 합니다.

영어표현	품사	뜻	유의어	반의어
prioritize	동사	우선순위를 두다	Rank	Deprioritize, downgrade
response	명사	응답	Reply, answer	Silence, non-response
allow	동사	허용하다	Permit, grant	Forbid, disallow
connect	동사	연결하다	Link, join	Disconnect, detach
one-off interaction	표현	일회성 상호작용	Single-time interaction	frequent encounter
upsetting experience	표현	불쾌한 경험	Distressing incident	Pleasant experience
significantly	부사	상당히	Substantially	minimally
influential	형용사	영향력 있는	Impactful, powerful	Ineffectual, powerless
favorable	형용사	호의적인	Positive, advantageous	Unfavorable, negative
comment	명사/동사	의견	Remark, observation	Criticism
for that matter	표현	그에 관해서는	In that regard, concerning that	-
personally acknowledged	표현	개인적으로 인정받은	Personally recognized	Unacknowledged, ignored
in general	표현	전반적으로	Broadly	Specifically, precisely
recognize	동사	인식하다	Acknowledge, identify	Ignore, overlook
for having said it	표현	말한 대로	Having said that, said previously	Without saying it
in particular	표현	특히	Specifically, particularly	Generally, broadly
appreciation	명사	감사	Gratitude, thanks	Ingratitude, lack of thanks
compliment	명사/동사	칭찬	Praise, commendation	Insult, criticism
typically	부사	일반적으로	Normally, usually	unusually
response	명사	응답	Reply, answer	Ignore, neglect
unanswered	형용사	답변하지 않은	not replied to	Answered, replied to
opportunity	명사	기회	Chance, possibility	Misfortune, setback
solid	형용사	견고한	Sturdy, robust	Fragile, weak

Being able to prioritize your responses allows you to connect more deeply with individual customers, be it a one-off interaction around a particularly delightful or upsetting experience, or the development of a longer-term relationship with a significantly influential individual within your customer base. If you've ever posted a favorable comment — or any comment, for that matter — about a brand, product or service, think about what it would feel like if you were personally acknowledged by the brand manager, for example, as a result. In general, people post because they have something to say — and because they want to be recognized for having said it. In particular, when people post positive comments they are expressions of appreciation for the experience that led to the post. While a compliment to the person standing next to you is typically answered with a response like "Thank You," the sad fact is that most brand compliments go unanswered. These are lost opportunities to understand what drove the compliments and create a solid fan based on them.

응답을 우선 순위를 정할 수 있다면, 특히 특별한 경험에 대한 일회성 상호작용이나 고객 기반에서 중요한 개인과의 장기적인 관계 개발과 관련하여 개별 고객과 더 깊게 연결할 수 있게 됩니다. 브랜드, 제품 또는 서비스에 대한 긍정적인 코멘트를 남긴 적이 있다면, 예를 들어 브랜드 매니저 등에 의해 개인적으로 인정받은 경우를 상상해보세요. 일반적으로 사람들은 뭔가를 말하고 싶어서 글을 올리는데, 이를 했음에도 인정받기를 원하기 때문입니다. 특히 긍정적인 코멘트를 남기는 경우, 그 글을 쓰게 된 경험에 대한 감사의 표현입니다. 주변의 사람에게 칭찬을 받을 때 "고마워"와 같은 대답이 일반적이지만, 대부분의 브랜드 칭찬에는 대답이 없습니다. 이는 칭찬의 원인을 이해하고 이를 기반으로 견고한 팬을 만들기 위한 소중한 기회를 놓치는 것입니다.

영어표현	품사	뜻	유의어	반의어
overtourism	명사	관광자가 너무 많은 상황	Overcrowding	insufficient tourism
rest on	표현	~에 기반하다	Rely on, depend on	Stand alone, be independent of
particular	형용사	특별한	Specific, distinctive	General, common
assumption	명사	가정, 추정	Premise, supposition	Certainty, fact
tourism studies	표현	관광 연구	Study of travel and tourism	-
in general	표현	일반적으로	Generally, broadly	Specifically, precisely
define	동사	정의하다	Clarify, explain	Confuse, obscure
be framed	표현	틀에 박히다	Be presented, be proposed	Be unframed, be undefined
bounded social actors	표현	제한된 사회적 행위자들	Confined social members	free actors
host	명사	주최자, 숙주	Hostess, entertainer	Guest, visitor
in a similar way	표현	비슷한 방식으로	Similarly, alike	Differently, in another way
stable	형용사	안정된	Steady, unchanging	Unstable, changeable
container	명사	용기, 컨테이너	Vessel, holder	-
hence	부사	그러므로	Therefore, thus	Thus, consequently
suffer	동사	고통을 받다	Endure, undergo	Enjoy, thrive
indeed	부사	실제로	Truly, in reality	Not really
attraction	명사	매력	Allure, appeal	Repel, discourage
capacity	명사	수용 능력	maximum occupancy	Insufficiency
no room for	표현	여유가 없다	No space for, no capacity for	capacity for
not least the case	구	적어도 이 경우에는	Especially so	particularly not
region	명사	지역	Area, district	Non-region, non-district
promote	동사	촉진하다	Publicize, advertise	Hinder, impede
destination	명사	목적지	Vacation spot, end location	Origin, starting point
victim	명사	피해자	recipient	Perpetrator
excessive	형용사	과도한	Excessive, extreme	Moderate, reasonable
proportion	명사	비율	Ratio, percentage	Inequality, disproportion
relative	형용사	상대적인	Comparative, proportional	Absolute, absolute
relate to	표현	연관되다	Relate with, be connected to	Disassociate, disconnect from
degradation	명사	약화, 타락	Deterioration, decline	Improvement, enhancement

2024년 24번 문제

The concept of overtourism rests on a particular assumption about people and places common in tourism studies and the social sciences in general. Both are seen as clearly defined and demarcated. People are framed as bounded social actors either playing the role of hosts or guests. Places, in a similar way, are treated as stable containers with clear boundaries. Hence, places can be full of tourists and thus suffer from overtourism. But what does it mean for a place to be full of people? Indeed, there are examples of particular attractions that have limited capacity and where there is actually no room for more visitors. This is not least the case with some man-made constructions such as the Eiffel Tower. However, with places such as cities, regions or even whole countries being promoted as destinations and described as victims of overtourism, things become more complex. What is excessive or out of proportion is highly relative and might be more related to other aspects than physical capacity, such as natural degradation and economic leakages (not to mention politics and local power dynamics).

관광학 연구와 일반적인 사회과학에서 공통적인 사람과 장소에 대한 특정 가정에 기반한 과다관광 개념이 존재합니다. 두 가지 모두 명확하게 정의되고 구분된 것으로 간주됩니다. 사람들은 호스트 또는 게스트의 역할을 하는 경계가 있는 사회적 행위자로 틀에 박힌다고 표현됩니다. 장소도 비슷한 방식으로 명확한 경계를 가진 안정된 컨테이너로 취급됩니다. 따라서 장소는 관광객으로 가득 차 과다관광의 영향을 받을 수 있습니다. 그러나 장소가 사람으로 가득 찬다는 것은 무엇을 의미할까요? 실제로 제한된 수용력이 있는 특정 명소의 예가 있으며 더 이상 방문자를 받을 수 없는 경우도 있습니다. 에펠탑과 같은 인공 구조물이 그 예입니다. 그러나 도시, 지역 또는 국가와 같은 장소가 목적지로 홍보되고 과다관광의 피해자로 묘사되면 상황이 더 복잡해집니다. 과도하거나 비례하지 않는 것은 물리적 수용력보다는 자연적 퇴화 및 경제적 유출과 관련된 것일 수 있으며 (정치와 지역 권력 동학을 언급하지 않아도) 다른 측면과 관련이 있을 것입니다.

영어표현	품사	뜻	유의어	반의어
respondents	명사	설문조사 응답자	Survey participants, participants	-
was also true for	구	~에도 적용되었다	also held true for	Not applicable to
exceed	동사	초과하다, 뛰어넘다	Surpass, go beyond	Fall short of, be below
영어표현	품사	뜻	유의어	반의어
was born in	동사 구	~에서 태어났다	came into the world in	Died in, passed away in
doctoral degree	표현	박사 학위	PhD, doctorate	No degree, lack of education
an associate professor	표현	부교수	Assistant professor, lecturer	-
physics	명사	물리학	Natural philosophy	Art, literature
acceptance	명사	수용, 승인	Approval	Rejection, denial
was involved in	동사 구	참여했다	Participated in, took part in	Stayed out of, refrained from
landing project	표현	착륙 프로젝트	descent initiative	Launch project
contribution	명사	기여	Input, involvement	Negligible contribution
priceless	형용사	값진, 매우 소중한	Invaluable, precious	Worthless, of little value
unimaginable	형용사	상상할 수 없는	Inconceivable	Imaginable

2024년 25번 문제

The above graph shows the percentages of the respondents in five countries who sometimes or often actively avoided news in 2017, 2019, and 2022. For each of the three years, Ireland showed the highest percentage of the respondents who sometimes or often actively avoided news, among the countries in the graph. In Germany, the percentage of the respondents who sometimes or often actively avoided news was less than 30% in each of the three years. In Denmark, the percentage of the respondents who sometimes or often actively avoided news in 2019 was higher than that in 2017 but lower than that in 2022. In Finland, the percentage of the respondents who sometimes or often actively avoided news in 2019 was lower than that in 2017, which was also true for Japan. In Japan, the percentage of the respondents who sometimes or often actively avoided news did not exceed 15% in each of the three years.

상기 그래프는 2017 년, 2019 년, 2022 년에 뉴스를 가끔이라도 또는 자주 피하는 응답자의 백분율을 보여줍니다. 세 해 각각에 대해 그래프에 포함된 국가들 중에서 아일랜드가 가끔이라도 또는 자주 뉴스를 피하는 응답자의 백분율이 가장 높게 나타났습니다. 독일에서는 2017 년, 2019 년, 2022 년 모두 뉴스를 가끔이라도 또는 자주 피하는 응답자의 백분율이 각각 30% 미만이었습니다. 덴마크에서는 2019 년에 뉴스를 가끔이라도 또는 자주 피하는 응답자의 백분율이 2017 년보다 높았지만 2022 년보다는 낮았습니다. 핀란드에서는 2019 년에 뉴스를 가끔이라도 또는 자주 피하는 응답자의 백분율이 2017 년보다 낮았으며, 이는 일본에도 해당됩니다. 일본에서는 2017 년, 2019 년, 2022 년 각각에 대해 뉴스를 가끔이라도 또는 자주 피하는 응답자의 백분율이 모두 15%를 넘지 않았습니다.

2024년 26번 문제

Charles H. Townes, one of the most influential American physicists, was born in South Carolina. In his childhood, he grew up on a farm, studying the stars in the sky. He earned his doctoral degree from the California Institute of Technology in 1939, and then he took a job at Bell Labs in New York City. After World War II, he became an associate professor of physics at Columbia University. In 1958, Townes and his co-researcher proposed the concept of the laser. Laser technology won quick acceptance in industry and research. He received the Nobel Prize in Physics in 1964. He was also involved in Project Apollo, the moon landing project. His contribution is priceless because the Internet and all digital media would be unimaginable without the laser.

Charles H. Townes, 미국의 가장 영향력 있는 물리학자 중 한 명은 남부 캐롤라이나에서 태어났습니다. 어린 시절에 그는 농장에서 자라며 하늘의 별을 연구했습니다. 그는 1939 년에 캘리포니아 공과대학에서 박사 학위를 받았으며, 그 후에는 뉴욕의 벨 연구소에서 일했습니다. 제 2 차 세계 대전 이후에는 콜럼비아 대학교 물리학 부의 부교수가 되었습니다. 1958 년, 타운스와 공동 연구자는 레이저(Laser)의 개념을 제안했습니다. 레이저 기술은 산업과 연구에서 빠르게 받아들여졌습니다. 그는 1964 년에 물리학 노벨 상을 받았습니다. 그는 또한 달 착륙 프로젝트인 아폴로 프로젝트에 참여했습니다. 그의 기여는 레이저 없이는 인터넷과 모든 디지털 미디어가 상상할 수 없을 정도로 값진 것입니다.

영어표현	품사	뜻	유의어	반의어
theme	명사	주제	Subject, topic	Random
exceed	동사	초과하다	Surpass, go beyond	Fall short of, be below
entries	명사	참가 신청, 응모 작품	Submissions	-
are limited to	동사 구	~에 제한되다	Are restricted to are constrained to	Have no limitations
will be chosen	동사 구	선택될 것이다	will be picked	will not be selected
영어표현	품사	뜻	유의어	반의어
		초과하다	Surpass, go beyond	Fall short of, be below

2024년 28번 문제

2023 Eastland High School Video Clip Contest Shoot and share your most memorable moments with your teachers and friends!

Guidelines

·Theme: "Joyful Moments" in Our Growing Community

·Submissions will be accepted from December 1 to December 14.

·Submissions should be uploaded to our school website.
□ Video length cannot exceed three minutes.

□ Entries are limited to one per student.

Prizes ·

1st place: $100 gift card, 2nd place: $50 gift card

·Winning videos will be posted to our school's app. ·

The prize winners will be chosen by the school art teachers.

※ For more information, visit the school website.

2023 이스트랜드 고등학교 비디오 클립 콘테스트

가장 기억에 남는 순간을 선생님들과 친구들과 함께 촬영하고 공유하세요!

지침

·테마: "우리 성장하는 공동체의 즐거운 순간"

·제출 기간: 12 월 1 일부터 12 월 14 일까지

·제출물은 학교 웹사이트에 업로드되어야 합니다.

□ 비디오 길이는 세 분을 초과할 수 없습니다.

□ 학생 당 엔트리는 한 개로 제한됩니다.

상금

·1 등: 100 달러 상품권, 2 등: 50 달러 상품권

·수상 비디오는 학교 앱에 게시됩니다.

·상금 수상자는 학교 미술 교사들에 의해 선정됩니다.

※ 더 많은 정보는 학교 웹사이트에서 확인하세요.

영어표현	품사	뜻	유의어	반의어
feature	명사	특징	Characteristic, attribute	Lack, absence
apparently	부사	외견상으로	Seemingly, evidently	obscurely
flexible	형용사	유연한	Adaptable	Inflexible, rigid
sits atop	동사 구	위에 위치하다	be positioned on	be positioned beneath
enduring ties	표현	지속되는 인연	Lasting connections	fleeting bonds
are aware of	동사 구	알고 있다, 인식하다	Know, be conscious of	Be unaware of
restrictions	명사	제약, 제한	Limitations, constraints	Freedom, liberties
assess	동사	평가하다	Evaluate, appraise	Disregard, ignore
to a large extent	표현	대부분, 많은 정도로	Largely, predominantly	To a small extent, minimally
constraints	명사	제약, 제한	Restraints, limitations	Freedom
belonging to something	동사 구	어떤 것에 속한	Associated with, affiliated with	not affiliated with
necessity	명사	필요성, 필수	Essential, requirement	Dispensability, non-essential
at the same level	표현	동일한 수준에	On the same level as	unequal
household purchases	표현	가정용 구매물품	Household acquisitions	personal buys
such as	표현	~와 같이	For example, like	Unlike
at no point	표현	어떤 순간에도	At no time, never	At some point, at one time
possession	명사	소유, 소지	Ownership, control	Lack of possession, dispossession
absolute	형용사	절대적인	Unconditional, unqualified	Conditional, qualified
consensus	명사	합의	Agreement, unity	Disagreement, discord
preferences	명사	선호도, 우선순위	Desires, inclinations	Aversions, dislikes

Bazaar economies feature an apparently flexible price-setting mechanism that sits atop more enduring ties of shared culture. Both the buyer and seller are aware of each other's restrictions. In Delhi's bazaars, buyers and sellers can assess to a large extent the financial constraints that other actors have in their everyday life. Each actor belonging to a specific economic class understands what the other sees as a necessity and a luxury. In the case of electronic products like video games, they are not a necessity at the same level as other household purchases such as food items. So, the seller in Delhi's bazaars is careful not to directly ask for very low prices for video games because at no point will the buyer see possession of them as an absolute necessity. Access to this type of knowledge establishes a price consensus by relating to each other's preferences and limitations of belonging to a similar cultural and economic universe.

상점 거래 경제는 보다 지속 가능한 공유 문화의 기반이되는 듯한 유연한 가격 책정 메커니즘을 특징으로 합니다. 구매자와 판매자 모두가 서로의 제약을 인식하고 있습니다. 델리의 재래시장에서 구매자와 판매자는 서로의 일상 생활에서 어떤 제약이 있는지를 상당 부분 평가할 수 있습니다. 각 경제 계급에 속한 각 주체는 상대방이 필수품과 사치를 어떻게 인식하는지를 이해합니다. 비디오 게임과 같은 전자 제품의 경우 식료품과 같은 다른 가정 구매와는 달리 필수품으로 보이지 않습니다. 그래서 델리 재래시장의 판매자는 비디오 게임에 대해 아주 낮은 가격을 직접 요구하지 않습니다. 왜냐하면 어떤 순간에도 구매자는 이를 절대적인 필수품으로 보지 않을 것이기 때문입니다. 이러한 유형의 지식에 액세스하면 상호의 선호도 및 비슷한 문화 및 경제적 우주에 속하는 제한을 기준으로 가격 합의를 도출할 수 있습니다.

영어표현	품사	뜻	유의어	반의어
decade	명사	10년	Ten years, decennium	-
attention	명사	주의, 관심	Focus, concentration	Distraction, inattention
foregrounded	동사	강조된, 중요한	Emphasized, highlighted	Backgrounded, overshadowed
textuality	명사	텍스트 특성	Textual nature, text quality	-
interrelated	형용사	상호 연관된	Connected, linked	Independent, unrelated
applies to	동사 구	적용되다	Pertains to, is relevant to	is irrelevant to
representational	형용사	표현적인	Representing, symbolic	Non-representational, non-symbolic
regarded as text	동사 구	텍스트로 간주되는	Seen as a text, considered text	not considered text
predominate	동사	우세하다	Prevail, dominate	Yield, submit
complicated	형용사	복잡한	Complex, intricate	Simple, uncomplicated
interpretation	명사	해석, 풀이	Explanation, elucidation	Misinterpretation, misunderstanding
adjunct	명사	부가물, 부속품	Addition, attachment	Essential, main part
complement	명사	보완, 보충	Supplement, addition	Main part, essential
recognition	명사	인식, 승인	Acknowledgment, awareness	Ignorance, unawareness
영어표현	품사	뜻	유의어	반의어

2024년 31번 문제

Over the last decade the attention given to how children learn to read has foregrounded the nature of textuality, and of the different, interrelated ways in which readers of all ages make texts mean. 'Reading' now applies to a greater number of representational forms than at any time in the past: pictures, maps, screens, design graphics and photographs are all regarded as text. In addition to the innovations made possible in picture books by new printing processes, design features also predominate in other kinds, such as books of poetry and information texts. Thus, reading becomes a more complicated kind of interpretation than it was when children's attention was focused on the printed text, with sketches or pictures as an adjunct. Children now learn from a picture book that words and illustrations complement and enhance each other. Reading is not simply . Even in the easiest texts, what a sentence 'says' is often not what it means.

지난 10년 동안 어린이들이 어떻게 읽기를 배우는지에 대한 주목은 텍스트의 본질과 모든 연령의 독자가 텍스트를 의미 있게 만드는 다양하고 상호 관련된 방법을 강조했습니다. '읽기'는 이제 그 어느 때보다도 더 많은 표현 형태에 적용됩니다: 그림, 지도, 스크린, 디자인 그래픽 및 사진은 모두 텍스트로 간주됩니다. 새로운 인쇄 공정으로 가능해진 그림책의 혁신에 추가로, 디자인 특징은 시와 정보 텍스트와 같은 다른 종류에서도 우세합니다. 따라서 읽기는 어릴 때 어린이들의 관심이 인쇄된 텍스트에 집중되었을 때보다 더 복잡한 해석의 형태가 됩니다. 어린이들은 이제 그림책에서 단어와 일러스트레이션 간의 보완과 강화를 배웁니다. 읽기는 단순히 문장이 '말하는' 것이 아닙니다. 심지어 가장 쉬운 텍스트에서도 문장이 '말하는' 것이 종종 의미하는 것이 아닙니다.

영어표현	품사	뜻	유의어	반의어
proposition	명사	제안, 명제	Proposal, suggestion	Rejection, denial
maintain	동사	유지하다	Preserve, keep	Neglect, abandon
ideal	형용사	이상적인	Perfect, model	Flawed, imperfect
conditions	명사	조건, 환경	Circumstances, situation	-
to be persuasive	표현	설득력 있는	Convincing, compelling	Unconvincing, unimpressive
well spoken	형용사	잘 말하는	Articulate, eloquent	Inarticulate, incoherent
efficiency	명사	효율성	Effectiveness, productivity	Inefficiency, ineffectiveness
in reality	표현	실제로	Actually, in fact	Fictionally, in theory
at an intersection	표현	교차로에서	At a crossing, at a junction	Away from an intersection, elsewhere
sits idling	동사 구	고정된 상태로 머물다	Rests without moving	Moves, operates
provides	동사	제공하다	Supply, furnish	Withholds, keeps back
come up with	동사 구	생각을 떠올리다	Invent, devise	Fail to generate, fail to produce
responses	명사	대응, 답변	Replies, answers	Silence, silence
navigational	형용사	항법의	Directional, guiding	Non-directional, non-guiding
verbal	형용사	언어의	Oral, spoken	Written, non-verbal
fender bender	명사	경미한 충돌	Minor collision, minor accident	Major collision, major accident
filler	명사	채우는 물질, 필러	Filling, padding	Void, gap
nowhere to go	표현	갈 곳이 없는	-	-
영어표현	품사	뜻	유의어	반의어

Speaking fast is a high-risk proposition. It's nearly impossible to maintain the ideal conditions to be persuasive, well-spoken, and effective when the mouth is traveling well over the speed limit. Although we'd like to think that our minds are sharp enough to always make good decisions with the greatest efficiency, they just aren't. In reality, the brain arrives at an intersection of four or five possible things to say and sits idling for a couple of seconds, considering the options. Making a good decision helps you speak faster because it provides you with more time to come up with your responses. When the brain stops sending navigational instructions back to the mouth and the mouth is moving too fast to pause, that's when you get a verbal fender bender, otherwise known as filler. Um, ah, you know, and like are what your mouth does when it has nowhere to go.

빠르게 말하는 것은 높은 위험성을 내포하고 있습니다. 입이 속도 제한을 크게 초과할 때 확실하게 설득력 있고 잘 말하며 효과적인 조건을 유지하는 것은 거의 불가능합니다. 우리의 마음이 항상 최대의 효율로 좋은 결정을 내릴 수 있다고 생각하고 싶지만, 그렇지 않습니다. 실제로 뇌는 말할 수 있는 네 가지 또는 다섯 가지 가능한 대화 주제에 도달하고 몇 초 동안 옵션을 고려하는 상황이 발생합니다. 좋은 결정을 내리면 응답을 더 빨리 만들 수 있어서 빠르게 말하는 데 도움이 됩니다. 뇌가 입으로 항해 지시를 보내지 않고 입이 멈출 시간이 없을 때 그것이 바로 구박이라고도 하는 언어적 충돌이 발생하는 때입니다. 음, 아, 너 알아, 그리고 좋아 같은 것들은 입이 갈 곳이 없을 때 하는 말입니다.

영어표현	품사	뜻	유의어	반의어
argument	명사	논점, 주장	Debate, discussion	Agreement, consensus
analogy	명사	유사성, 비유	Similarity, comparison	Dissimilarity, dissimilitude
breaks down	동사 구	고장나다	Malfunctions, stops working	Functions properly, works fine
misprint	명사	오타	Typo, typographical error	Correct print, accurate printing
negative	형용사	부정적인	Adverse, pessimistic	Positive, affirmative
impact	명사	영향, 충격	Influence, effect	Lack of impact, insignificance
content	명사	내용	Substance, material	Empty, vacant
literally	부사	문자 그대로	Truly, actually	Figuratively, metaphorically
fatally	부사	치명적으로	mortally	Harmlessly, innocuously
displacement	명사	이동, 이탈	Dislocation, movement	Stability, equilibrium
comma	명사	쉼표	Punctuation mark	Period, dot
for instance	표현	예를 들어	For example, as an example	-
mutations	명사	변이, 돌연변이	Changes, alterations	Stability, constancy
harmful	형용사	해로운	Damaging, detrimental	Beneficial, advantageous
consequences	명사	결과, 영향	Results, outcomes	Causes, effects
organism	명사	생물체	Living being, creature	Inanimate object inorganic matter
reproductive	형용사	생식적	Procreative, generative	non-generative
fitness	명사	적합도	Adaptation, survival ability	inability to survive
occasionally	부사	가끔	Sometimes, from time to time	Never, rarely
accidental	형용사	우발적인	Unintentional, unplanned	Intentional, deliberate
failure	명사	실패	Malfunction, breakdown	Success, accomplishment
reproduce	동사	번식하다	Replicate, procreate	Cease to reproduce
edition	명사	판, 버전	Version, release	-
accurate	형용사	정확한	Precise, exact	Inaccurate, imprecise
favorable	형용사	호의적인	Positive, advantageous	Unfavorable, disadvantageous
represented	형용사	나타낸	Depicted, portrayed	Misrepresented, mischaracterized
offspring	명사	후손	Descendant, progeny	Ancestor, forebear
are transmitted to	동사구	전달되다	Are passed on to are conveyed to	Are not passed on to are not transmitted to
by contrast	표현	대조적으로	In comparison	Similarly, likewise

Misprints in a book or in any written message usually have a negative impact on the content, sometimes (literally) fatally. The displacement of a comma, for instance, may be a matter of life and death. Similarly most mutations have harmful consequences for the organism in which they occur, meaning that they reduce its reproductive fitness. Occasionally, however, a mutation may occur that increases

the fitness of the organism, just as an accidental failure to reproduce the text of the first edition might provide more accurate or updated information. (At the next step in the argument, however, the analogy breaks down.) A favorable mutation is going to be more heavily represented in the next generation, since the organism in which it occurred will have more offspring and mutations are transmitted to the offspring. By contrast, there is no mechanism by which a book that accidentally corrects the mistakes of the first edition will tend to sell better

책이나 어떤 문서에서의 오타는 일반적으로 내용에 부정적인 영향을 미칩니다. 때로는 (문자 그대로) 치명적일 수도 있습니다. 예를 들어 쉼표의 위치 이동은 생사의 문제가 될 수 있습니다. 비슷하게 대부분의 돌연변이는 그가 일어난 유기체에 해로운 영향을 미치며, 이는 생식적 적응도를 감소시킵니다. 그러나 가끔 돌연변이가 유기체의 생식적 적응도를 향상시킬 수 있으며, 마치 첫 판의 텍스트를 우연히 수정함으로써 더 정확하거나 최신 정보를 제공할 수 있는 것처럼 보입니다. (그러나 논증의 다음 단계에서 비유가 깨집니다.) 유리한 돌연변이는 다음 세대에서 더 많이 나타날 것이며, 그 돌연변이가 일어난 유기체는 더 많은 후손을 갖게 될 것이기 때문입니다. 반면, 첫 판의 실수를 우연히 수정하는 책이 더 잘 팔릴 경향이 있는 메커니즘은 없습니다.

영어표현	품사	뜻	유의어	반의어
side by side	부사	나란히	alongside, parallel	apart, separate
boundless	형용사	무한한	limitless, infinite	limited, restricted
breathtaking	형용사	숨막히는	awe-inspiring, awe-striking	ordinary, unremarkable
surrounded	동사	둘러싸인	encircled, enveloped	unenclosed, unbounded
beyond description	부사	묘사할 수 없는	indescribable, ineffable	describable, expressible
preparations	명사	준비	planning	unprepared, spontaneous
along the beach road	부사	해변 도로를 따라	along the coastal road	away from the beach, inland
turn to Clara	동사 구	Clara 에게로 돌다	turn towards Clara, face Clara	turn away, avoid
light up	부사	불이 켜지다	brighten up, illuminate	dim, darken
nod	동사	끄덕이다	Agree	disagree
destination	명사	목적지	destination point, end point	starting point, origin
truly	부사	정말로	truly, genuinely	falsely, insincerely
alive	형용사	살아 있는	living	lifeless, dead
in agreement	부사	동의하여	Harmonious	in disagreement
talented	형용사	재능 있는	talented, skillful	untalented, unskilled
constructive	형용사	건설적인	positive	destructive, negative
recovery	명사	회복	recuperation	breakdown, deterioration
in the end	부사	결국에는	finally	in the beginning, initially
pedal	동사	페달	push the pedal	brake, slow down
speeding up	동사 구	가속	accelerating, picking up speed	decelerating, slowing down
exclaim	동사	외치다	shout, cry out	be silent, quiet
tragedy	명사	비극	calamity, disaster	triumph, success
overcome	동사	극복하다	conquer	yield

Emma and Clara stood side by side on the beach road, with their eyes fixed on the boundless ocean. The breathtaking scene that surrounded them was beyond description. Just after sunrise, they finished their preparations for the bicycle ride along the beach road. Emma turned to Clara with a question, "Do you think this will be your favorite ride ever?" Clara's face lit up with a bright smile as she nodded. "Definitely! I can't wait to ride while watching those beautiful waves!"

Emma and Clara jumped on their bikes and started to pedal toward the white cliff where the beach road ended. Speeding up and enjoying the wide blue sea, Emma couldn't hide her excitement and exclaimed, "Clara, the view is amazing!" Clara's silence, however, seemed to say that she was lost in her thoughts. Emma understood the meaning of her silence. Watching Clara riding beside her, Emma thought about Clara's past tragedy, which she now seemed to have overcome.

Clara used to be a talented swimmer, but she had to give up her dream of becoming an Olympic medalist in swimming because of shoulder injuries. Yet she responded to the hardship in a constructive way. After years of hard training, she made an incredible recovery and found a new passion for bike riding. Emma saw how the painful past made her maturer and how it made her stronger in the end. One hour later, Clara, riding ahead of Emma, turned back and shouted, "Look at the white cliff!"

When they reached their destination, Emma and Clara stopped their bikes. Emma approached Clara, saying "Bicycle riding is unlike swimming, isn't it?" Clara answered with a smile, "Quite similar, actually. Just like swimming, riding makes me feel truly alive." She added, "It shows me what it means to live while facing life's tough challenges." Emma nodded in agreement and suggested, "Your first beach like ride was a great success. How about coming back next summer?" Clara replied with delight, "With you, absolutely!"

엠마와 클라라는 해변 도로에서 옆에 서 있었고, 끝없는 바다에 시선을 고정하고 있었습니다. 그들을 둘러싼 숨막히는 풍경은 설명할 수 없었습니다. 일출 직후에 그들은 해변 도로를 따라 자전거를 타기 위한 준비를 마쳤습니다. 엠마는 클라라에게 물었습니다. "이게 네가 즐길 최고의 라이딩이 될 것 같아?" 클라라의 얼굴은 밝은 미소로 빛나며 고개를 끄덕였습니다. "확실히! 나는 그 아름다운 파도를 보면서 탈 수 없을 것 같아!"

엠마와 클라라는 자전거에 올라 해변 도로가 끝나는 하얀 절벽 쪽으로 페달을 밟기 시작했습니다. 빠르게 이동하며 넓은 푸른 바다를 즐기면서 엠마는 흥분을 숨길 수 없었고, "클라라, 풍경이 놀라워!"라고 외쳤습니다. 그러나 클라라의 침묵은 그녀가 생각에 잠겨 있음을 나타냅니다. 엠마는 그녀의 침묵의 의미를 이해했습니다. 클라라가 이제는 극복한 것처럼 보이는 과거의 비극에 대해 생각했습니다.

클라라는 예전에 재능 있는 수영 선수였지만, 어깨 부상으로 인해 수영에서 올림픽 메달리스트가 되는 꿈을 포기해야 했습니다. 그러나 그녀는 그 고난을 건설적인 방식으로 대처했습니다. 몇 년간의 힘든 훈련 끝에 놀라운 회복을 이루고 자전거 타기에 새로운 열정을 찾았습니다. 엠마는 고통스러운 과거가 그녀를 성숙하게 만들었고, 결국 더 강하게 만든 것을 보았습니다. 1 시간 후, 클라라는 엠마의 앞에서 달려오며 "하얀 절벽을 봐!"라고 외쳤습니다.

목적지에 도착하자 엠마와 클라라는 자전거를 멈추었습니다. 엠마는 클라라에게 다가가 "자전거 타기는 수영과는 달라, 그렇지 않아?"라고 말했습니다. 클라라는 미소를 지으며 "사실 꽤 비슷해. 수영처럼 타는 것이 나를 정말 살아있는 기분으로 만들어 줘."라고 대답했습니다. 그녀는 "그것은 나에게 인생의 어려운 도전에 직면하면서 살아가는 의미를 보여줍니다."라고 덧붙였고, 엠마는 동의하며 "네 첫 번째 해변 자전거 여행은 큰 성공이었어. 다음 여름에 다시 오는 거 어떨까?"라고 제안했습니다. 클라라는 기쁨에 찬 듯이 "당연히 너와 함께!"라고 대답했습니다.

시간이 소중한
당신을 위한

2023년 6월

수능의, 수능에 의한, 수능만을 위한
159개의 단어

2024년을 지나 2023년으로
수능영단어 마라톤 이제부터 진짜에요!

2023년 6월 모의평가 3교시 영어영역
오답률이 가장 높은 15개 문제의 분석

[오답률 높은 순]

오답률 80%이상	오답률 60%이상	20% 이상이 선택	40% 이상이 선택

순위	문항 변호	오답률	배점	정답	선택지별 비율				
					①	②	③	④	⑤
1	31	74.5	2	5	21.2	31.5	15	6.8	25.5
2	34	72.7	3	2	19.3	27.3	18.3	17.7	17.4
3	33	70.4	3	2	17.3	29.6	30	13.9	9.3
4	32	66.2	2	4	20.9	15.1	20.6	33.8	9.5
5	39	64.7	3	3	5.2	15.6	35.3	26.9	17
6	36	64	2	5	3.9	13.1	24.7	22.3	36
7	37	63.7	3	2	6.2	36.3	24.8	15	17.8
8	42	61.5	2	3	3.7	16.2	38.5	30.7	10.9
9	30	58.8	2	4	11.6	11.4	12.9	41.2	22.8
10	21	57.8	3	5	22.7	16	11.6	7.4	42.2
11	29	56.2	3	3	4.5	21.4	43.8	25.3	5.1
12	40	55	2	1	45	21	9.6	13.9	10.5
13	38	53.7	2	4	3.1	8.3	21.4	46.3	20.8
14	41	53.2	2	1	46.8	9.2	23	8.1	12.9
15	22	50.6	2	1	49.4	10.2	12.9	20.9	6.6

[문제 순서 순]

순위	문항 변호	오답률	배점	정답	선택지별 비율				
					①	②	③	④	⑤
10	21	57.8	3	5	22.7	16	11.6	7.4	42.2
15	22	50.6	2	1	49.4	10.2	12.9	20.9	6.6
11	29	56.2	3	3	4.5	21.4	43.8	25.3	5.1
9	30	58.8	2	4	11.6	11.4	12.9	41.2	22.8
1	31	74.5	2	5	21.2	31.5	15	6.8	25.5
4	32	66.2	2	4	20.9	15.1	20.6	33.8	9.5
3	33	70.4	3	2	17.3	29.6	30	13.9	9.3
2	34	72.7	3	2	19.3	27.3	18.3	17.7	17.4
6	36	64	2	5	3.9	13.1	24.7	22.3	36
7	37	63.7	3	2	6.2	36.3	24.8	15	17.8
13	38	53.7	2	4	3.1	8.3	21.4	46.3	20.8
5	39	64.7	3	3	5.2	15.6	35.3	26.9	17
12	40	55	2	1	45	21	9.6	13.9	10.5
14	41	53.2	2	1	46.8	9.2	23	8.1	12.9
8	42	61.5	2	3	3.7	16.2	38.5	30.7	10.9

2023년 6월 모의고사는 밸런스가 아주 잘 맞는 시험이었습니다. 3개의 문제 정답률이 20%대였고 5개 문제 정답률이 30%대였습니다. 가장 난이도가 높은 3개의 정답률은 25.5%, 27.3%, 29.6%로 전부 틀려도 1등급을 맞을 수 있었습니다. 하지만 다음 5개의 문제에서 정답률은 33.8%, 35.3%, 36%, 36.3%, 38.5%에서 2개 이상 틀릴 경우 1등급은 불가능했습니다. 난이도도 적절했고 기존에 1등급 실력을 유지했던 학생들에게는 여전히 1등급을 받을 수 있는 시험이었습니다.

2등급을 유지하는 중상위권 학생들에게도 적절한 시험이었습니다. 앞서 말한 20%, 30%대의 문제 8개를 다 틀린다고 해도 80점으로 2등급을 맞을 수 있었습니다. 다른 말로 하자면, 남들이 어렵다고 하는 문제는 다 틀리고, 남들이 쉽다고 하는 문제는 다 맞았을 경우에 2등급을 받을 수 있었습니다. 다만 여기서 실수를 한다면 2등급이 힘들었을 것입니다.

3등급과 그 이하의 학생들에게도 적절한 난이도였습니다. 그럼에도 불구하고 눈에 띄는 점이 있습니다. 1, 2, 3등급을 나누는 문제들에서 20%이상이 선택한 선택지들이 상당히 많다는 것입니다. 심지어 31번 문항은 정답인 5번 선택률이 25.5%에 불과하지만 2번 선택지를 31.5%나 선택했습니다. 어려운 문제만 이런 것이 아닙니다. 쉬운 문제들에서도 이런 경향은 도드러집니다. 특히 29번과 38번 문제의 경우 정답률이 43.8%, 46.3%인데 오답지중에서 각각 20%가 넘는 선택지들이 2개씩이나 더 있습니다.

평가원은 이때 학생들에게 명확한 메시지를 보냅니다. 적당히 해석하고 문제를 푸는 학생들이 반드시 틀리게 문제를 만들겠다고 말입니다. 그렇다면 평가원이 원하는 것은 무엇일까요? 정확한 해석입니다. 애매하게 해석하면 애매하게 오답을 고를 수밖에 없는 문항들을 대거 도입했습니다. 이때의 메시지는 여전히 유효합니다. 최근 문제들 전부 이런 문항들이 늘어나고 있습니다. 때문에 3등급을 목표로 하거나 혹은 상위권으로 도약하는 학생들일수록 어휘력, 해석능력이라는 기본기를 탄탄히 하셔야 합니다.

영어표현	품사	뜻	유의어	반의어
made a reservation	동사	예약하다	Booked, reserved	Cancel, revoke
due to	전치사	~으로 인해	Because of, owing to	Despite, regardless of
its popularity	표현	그것의 인기	-	Unpopularity, obscurity
section	명사	부분	Division, segment	Whole, entirety
additional	형용사	추가적인	Extra, supplementary	Basic, essential
possible	형용사	가능한	Feasible, achievable	Impossible, implausible
in advance	부사	미리, 사전에	Beforehand, ahead of time	On the spot, immediately
영어표현	품사	뜻	유의어	반의어
riding on	전치사	~을 타고	Riding atop	Getting off
cliffs	명사	절벽	Precipices	Plains, flatlands
getting dark	동사	어두워지다	Becoming dark	Brightening
sighed	동사	한숨 쉬다	Exhaled	Inhaled
with concern	전치사	걱정하며	With worry	Without concern
gathering their bags	명사구	가방을 모으며	Collecting their bags	Scattering their bags
got off the bus	동사구	버스에서 내리다	-	Boarded the bus
was about to give up	동사구	포기하려고 했다	Was on the verge of giving up	Was about to persevere
shone	동사	빛나다	Radiated	Dimmed
brightly	부사	밝게	Radiantly	Dimly
the glow	명사	빛	The radiance	The darkness

2023년 18번 문제

Dear Hylean Miller, Hello, I'm Nelson Perkins, a teacher and swimming coach at Broomstone High School. Last week, I made a reservation for one of your company's swimming pools for our summer swim camp. However, due to its popularity, thirty more students are coming to the camp than we expected, so we need one more swimming pool for them. The rental section on your website says that there are two other swimming pools during the summer season: the Splash Pool and the Rainbow Pool. Please let me know if an additional rental would be possible. Thank you in advance. Best Wishes, Nelson Perkins

친애하는 하일리언 밀러 씨, 안녕하세요, 저는 Broomstone 고등학교에서 교사이자 수영 코치인 넬슨 퍼킨스입니다. 지난 주에 여름 수영 캠프를 위해 귀사의 수영장 중 하나를 예약했습니다. 그러나 인기가 많아서 예상보다 30 명 더 많은 학생들이 캠프에 참가하게 되어 그들을 위한 추가 수영장이 필요합니다. 귀사 웹사이트의 대여 부분에는 여름철에는 스플래시 풀과 무지개 풀 두 개의 수영장이 있는 것으로 나와 있습니다. 추가 대여가 가능한지 알려주시면 감사하겠습니다.

미리 감사드립니다.

최고의 소망을 담아, 넬슨 퍼킨스

2023년 19번 문제

The island tour bus Jessica was riding on was moving slowly toward the ocean cliffs. Outside, the sky was getting dark. Jessica sighed with concern, "I'm going to miss the sunset because of the traffic." The bus arrived at the cliffs' parking lot. While the other passengers were gathering their bags, Jessica quickly got off the bus and she ran up the cliff that was famous for its ocean views. She was about to give up when she got to the top. Just then she saw the setting sun and it still shone brightly in the sky. Jessica said to herself, "The glow of the sun is so beautiful. It's even better than I expected."

제시카가 타고 있던 섬 관광 버스는 바다 절벽 쪽으로 천천히 움직이고 있었다. 밖은 하늘이 어둡기 시작했다. 제시카는 우려스러운 마음으로 한숨을 내쉬며 말했다. "교통 때문에 일몰을 놓치게 될 것 같아." 버스는 절벽 주차장에 도착했다. 다른 승객들이 가방을 모으는 동안, 제시카는 빨리 버스에서 내리고, 바다 전망으로 유명한 절벽을 올라갔다. 제시카는 절망하려던 찰나에 절벽 꼭대기에 도착했다. 그때 그녀는 지는 해를 보았고, 여전히 하늘에 밝게 빛나고 있었다. 제시카는 스스로 말했다. "태양의 빛이 너무 아름답다. 내가 기대한 것보다 더 좋아."

영어표현	품사	뜻	유의어	반의어
athletes	명사	운동선수들	Sportspeople	Non-athletes
college	명사	대학	University	High school
create	동사	창조하다	Invent, produce	Destroy, demolish
work on	동사구	작업하다	Focus on, labor on	Neglect, ignore
specific	형용사	구체적인	Particular, distinct	General, broad
the latter	대명사	후자	The second of two	The former
frustrating	형용사	좌절스러운	Disheartening, dispiriting	Encouraging, promising
make the progress	동사구	진전을 만들다	make strides	Stagnate, regress
utilizing	명사	활용하다	Using, employing	Neglecting, ignoring
mental gear	명사	정신적인 기어	Mental mechanism	Physical gear
sustains	동사	지속하다	Maintains	Diminishes, weakens
effort	명사	노력	Exertion, exerted effort	Inaction, idleness
motivation	명사	동기 부여	Drive, incentive	Demotivation, discouragement
goes beyond	동사	초과하다	transcends	Falls short of, falls behind
applies	동사	적용하다	Uses, employs	Ignores, disregards
strengthening	형용사	강화	Reinforcing, fortifying	Weakening, undermining
polishing	동사	닦아내다	Refining, perfecting	-
with vigor	부사구	활기차게	With energy, energetically	sluggishly
in the first place	부사구	첫째로	Originally, initially	In the last place, ultimately

Consider two athletes who both want to play in college. One says she has to work very hard and the other uses goal setting to create a plan to stay on track and work on specific skills where she is lacking. Both are working hard but only the latter is working smart. It can be frustrating for athletes to work extremely hard but not make the progress they wanted. What can make the difference is drive — utilizing the mental gear to maximize gains made in the technical and physical areas. Drive provides direction (goals), sustains effort (motivation), and creates a training mindset that goes beyond simply working hard. Drive applies direct force on your physical and technical gears, strengthening and polishing them so they can spin with vigor and purpose. While desire might make you spin those gears faster and harder as you work out or practice, drive is what built them in the first place.

두 명의 대학에서 뛰고 싶어하는 선수를 고려해보자. 한 명은 매우 열심히 일해야 한다고 말하고, 다른 한 명은 목표 설정을 사용하여 추적을 유지하고 필요한 기술을 향상시킬 계획을 세운다. 두 사람 모두 열심히 일하지만, 후자만이 현명하게 일한다. 선수들이 매우 열심히 일하지만 원하는 진전을 이루지 못하는 것은 분통을 느낄 수 있다. 차이를 만들 수 있는 것은 동기 — 기술적 및 물리적 영역에서 이루어진 이득을 극대화하기 위해 정신적 기어를 활용하는 것이다. 동기는 방향을 제공하며(목표), 노력을 유지하며(동기부여), 단순히 열심히 일하는 것 이상의 훈련 마인드를 만든다. 동기는 당신의 물리적 및 기술적 기어에 직접적인 힘을 가하며, 그들을 활기차고 목적을 가지고 회전할 수 있도록 강화하고 닦아준다. 욕망이 운동이나 연습 중에 그 기어를 더 빨리 더 강하게 회전시킬 수도 있지만, 동기는 그 기어를 처음부터 만든 것이다.

영어표현	품사	뜻	유의어	반의어
considerable	형용사	상당한	Substantial, significant	minor
cultural	형용사	문화의	-	Non-cultural
phychologists	명사	심리학자들	-	-
anthropologists	명사	인류학자들	-	-
indeed	부사	실제로	-	Unquestionably
describing	동사	묘사하다	characterizing	-
circumstances	명사	상황	Conditions, situations	-
draw out	동사	끌어내다	Extract, bring out	Suppress, hold back
expression	명사	표현	-	Restraint, suppression
particular	형용사	특정한	Specific	General, generic
implemented	동사	실행된	Executed, carried out	Neglected, ignored
as for	전치사	~에 관하여	Regarding, concerning	Regarding, with respect to
internal	형용사	내부의	Inner, internal	External, externalized
interpret	동사	해석하다	Interpret	Misinterpret, misunderstand
categorize	동사	분류하다	Classify, sort	Uncategorize, disorganize
context	명사	맥락	-	-
appropriate	형용사	적절한	Suitable, fitting	Inappropriate, unsuitable
are likely to	동사	~할 가능성이 있다	Are likely to, are inclined to	Are unlikely to
invariant	형용사	불변의	Unchanging, constant	Variable, changing
in a sense	부사	어떤 면에서는	In a way, to some extent	In every sense
universal	명사	보편적인	Global, widespread	Particular, specific
evolution	명사	진화	Evolution	Stagnation, regression
implemented	동사	실시된	Carried out, executed	Neglected, ignored
stimuli	명사	자극	-	Inhibitors, impediments
be modified	동사	수정되다	Be altered, be adjusted	Remain unaltered
considerable	형용사	상당한	Substantial, significant	minor

Considerable work by cultural psychologists and anthropologists has shown that there are indeed large and sometimes surprising differences in the words and concepts that different cultures have for describing emotions, as well as in the social circumstances that draw out the expression of particular emotions. However, those data do not actually show that different cultures have different emotions, if we think of emotions as central, neurally implemented states. As for, say, color vision, they just say that, despite the same internal processing architecture, how we interpret, categorize, and name emotions varies according to culture and that we learn in a particular culture the social context in which it is appropriate to express emotions. However, the emotional states themselves are likely to be quite invariant across cultures. In a sense, we can think of a basic, culturally universal emotion set that is shaped by evolution and implemented in the brain, but the links between such emotional states and stimuli, behavior, and other cognitive states are plastic and can be modified by learning in a specific cultural context.

문화 심리학자와 문화 인류학자들의 많은 연구는 실제로 서로 다른 문화가 감정을 설명하는 데 사용하는 단어와 개념에 큰 때때로 놀라운 차이가 있다는 것을 보여주었다. 또한 특정 감정을 표현하는 데 이끌어내는 사회적 상황에서도 차이가 있다. 그러나 이러한 데이터는 각 문화가 각자 다른 감정을 가지고 있다는 것을 실제로 보여주지 않는다. 우리가 감정을 중심으로 생각한다면 중앙에 위치한 신경적으로 구현된 상태로 감정을 생각한다면 말이다. 예를 들어 색상 시각과 마찬가지로, 내부 처리 아키텍처가 동일한데도 감정을 어떻게 해석, 분류 및 명명하는가가 문화에 따라 다르며, 특정 문화에서 감정을 표현하는 데 적절한 사회적 맥락을 배운다는 것을 의미한다. 그러나 감정 상태 자체는 문화 간에 매우 불변할 것으로 생각된다. 어느 정도에서는 진화에 의해 형성되고 뇌에서 구현되는 기본적으로 문화적으로 보편적인 감정 집합을 생각할 수 있지만, 이러한 감정 상태와 자극, 행동 및 다른 인지 상태 간의 관련은 유연하며 특정 문화적 맥락에서의 학습에 의해 수정될 수 있다.

영어표현	품사	뜻	유의어	반의어
The approach	명사	접근 방식	Method, strategy	Avoidance, deviation
cognitive	형용사	인지적인	Mental, cognitive	Non-cognitive
intelligence	명사	지능	Intellect	Stupidity, ignorance
synergistic	형용사	상호작용적인	Collaborative, cooperative	Non-collaborative
arising from	동사	~에서 기인하는	Resulting from	Not stemming from
contributions	명사	기여	inputs	non-involvement
consists of	동사	포함되어 있다	Comprises, includes	Excludes, omits
at least	부사	적어도	At the minimum	At most
entertainment	명사	오락	Amusement, recreation	Seriousness, earnestness
telecommuting	명사	원격 근무	Remote work	In-office work, on-site work
concentrates	동사	집중하다	Focuses, centers	Distracts, diverges
cooperate	동사	협력하다	Work together, collaborate	work separately
coordinate	동사	조율하다	Harmonize, synchronize	Conflict, discord
accomplish	동사	성취하다	Achieve, complete	Fail, fall short
peer agents	명사	동료 에이전트	Fellow agents, colleagues	solitary individuals
artificial intelligence	명사	인공지능	machine intelligence	Human intelligence
along with	전치사	함께	in conjunction with	Apart from, separate from
interaction	명사	상호작용	Mutual action, engagement	Isolation, disconnection
principles	명사	원칙	Guidelines	Deviation
영어표현	품사	뜻	유의어	반의어
The approach	명사	접근 방식	Method, strategy	Avoidance, deviation
cognitive	형용사	인지적인	Mental, cognitive	Non-cognitive

The approach, joint cognitive systems, treats a robot as part of a human-machine team where the intelligence is synergistic, arising from the contributions of each agent. The team consists of at least one robot and one human and is often called a mixed team because it is a mixture of human and robot agents. Self-driving cars, where a person turns on and off the driving, is an example of a joint cognitive system. Entertainment robots are examples of mixed teams as are robots for telecommuting. The design process concentrates on how the agents will cooperate and coordinate with each other to accomplish the team goals. Rather than treating robots as peer agents with their own completely independent agenda, joint cognitive systems approaches treat robots as helpers such as service animals or sheep dogs. In joint cognitive system designs, artificial intelligence is used along with human-robot interaction principles to create robots that can be intelligent enough to be good team members.

접근 방식인 공동 인지 시스템은 로봇을 인간-기계 팀의 일부로 취급하여 지능이 상호작용을 통해 발생하는 것으로 여긴다. 이 팀은 적어도 하나의 로봇과 하나의 인간으로 구성되어 있으며 종종 혼합 팀이라고도 불리는데, 이는 인간과 로봇 요소의 혼합이기 때문이다. 자율 주행 자동차, 즉 사람이 운전을 켜고 끄는 것이 예인 공동 인지 시스템의 예이다. 엔터테인먼트 로봇은 혼합 팀의 예시이며 원격 근무용 로봇도 그러하다. 설계 과정은 각 에이전트가 팀 목표를 달성하기 위해 어떻게 협력하고 조정할지에 중점을 둔다. 공동 인지 시스템 접근 방식은 로봇을 완전히 독립적인 일정을 갖는 동등한 에이전트로 취급하는 대신, 서비스 동물이나 목축 개처럼 로봇을 도우미로 취급한다. 공동 인지 시스템 설계에서는 인공 지능과 인간-로봇 상호작용 원칙을 사용하여 팀원으로서 충분히 지능적인 로봇을 만들 수 있다

영어표현	품사	뜻	유의어	반의어
resident	명사	거주자	Inhabitant, dweller	Visitor, guest
patent	명사	특허	Copyright	Piracy
applications	명사	신청서	Requests, submissions	Rejections, denials
above	전치사	위에	Over, higher than	Below, under
resident	명사	거주자	Inhabitant, dweller	Visitor, guest
origins	명사	기원, 출처	beginnings	Endings, conclusions
maintained	동사	유지되었다	Sustained, preserved	Discontinued, abandoned
fell from	동사	떨어진	Dropped from	Rose from
decrease	동사	감소	Decline, reduction	Increase, growth
the number of N	표현	N의 수	The quantity of	-
on the other hand	부사	다른 한편	On the flip side, however	-
영어표현	품사	뜻	유의어	반의어

2023년 25번 문제

The above tables show the resident patent applications per million population for the top 6 origins in 2009 and in 2019. The Republic of Korea, Japan, and Switzerland, the top three origins in 2009, maintained their rankings in 2019. Germany, which sat fourth on the 2009 list with 891 resident patent applications per million population, fell to fifth place on the 2019 list with 884 resident patent applications per million population. The U.S. fell from fifth place on the 2009 list to sixth place on the 2019 list, showing a decrease in the number of resident patent applications per million population. Among the top 6 origins which made the list in 2009, Finland was the only origin which did not make it again in 2019. On the other hand, China, which did not make the list of the top 6 origins in 2009, sat fourth on the 2019 list with 890 resident patent applications per million population.

위의 표는 2009 년과 2019 년의 최상위 6 개 출처별 주민 특허 출원 건수를 백만 명당으로 보여준다. 2009 년의 최상위 3 개 출처인 대한민국, 일본 및 스위스는 2019 년에도 그 순위를 유지했다. 2009 년 목록에서 891 건의 주민 특허 출원 건수로 네 번째 자리에 있던 독일은 2019 년 목록에서 백만 명당 884 건의 주민 특허 출원 건수로 다섯 번째 자리로 떨어졌다. 미국은 2009 년 목록에서 다섯 번째 자리에서 2019 년 목록에서 여섯 번째 자리로 내려와 주민 특허 출원 건수가 감소했다. 2009 년 목록에 포함된 최상위 6 개 출처 중 핀란드는 2019 년에 다시 포함되지 않았다. 반면에, 2009 년 최상위 6 개 출처 목록에 포함되지 않았던 중국은 2019 년 목록에서 백만 명당 890 건의 주민 특허 출원 건수로 네 번째 자리에 있었다.

영어표현	품사	뜻	유의어	반의어
was well known as	동사구	잘 알려진	Had a reputation as	Unknown
in his time	표현	그 시절에	During his era	At other times
fossils	명사	화석	Remains	-
naturally	부사	자연스럽게	Inherently	Artificially
became interested in	동사	흥미를 가지게 되다	Developed an interest in	Lost interest in
collecting	명사	수집하는	Gathering	Dispersing
scholarship	명사	장학금	-	-
was admitted to	동사	입학되다	Was accepted to	Was rejected from
attending	명사	참석하는	Participating in	Avoiding
resigned	동사	사임하다	Stepped down	Accepted
was appointed	동사	임명되다	Was assigned	Left in place
successor	명사	후임자	Follow-up	precursor
representative	명사	대표자	Spokesperson	-
announced	동사	발표되다	Declared	Concealed
creature	명사	생물	Organism	Inanimate
영어표현	품사	뜻	유의어	반의어
was well known as	동사구	잘 알려진	Had a reputation as	Unknown
in his time	표현	그 시절에	During his era	At other times
fossils	명사	화석		

William Buckland (1784—1856) was well known as one of the greatest geologists in his time. His birthplace, Axminster in Britain, was rich with fossils, and as a child, he naturally became interested in fossils while collecting them. In 1801, Buckland won a scholarship and was admitted to Corpus Christi College, Oxford. He developed his scientific knowledge there while attending John Kidd's lectures on mineralogy and chemistry. After Kidd resigned his position, Buckland was appointed his successor at the college. Buckland used representative samples and large-scale geological maps in his lectures, which made his lectures more lively. In 1824, he announced the discovery of the bones of a giant creature, and he named it Megalosaurus, or 'great lizard'. He won the prize from the Geological Society due to his achievements in geology.

윌리엄 버클랜드(1784—1856)는 그 시대 최고의 지질학자로 잘 알려져 있었습니다. 그의 태어난 곳인 영국의 액스민스터는 화석이 풍부했고, 어린 시절 화석 수집을 하면서 자연스럽게 화석에 흥미를 갖게 되었습니다. 1801 년, 버클랜드는 장학금을 받고 옥스퍼드 대학교의 코퍼스 크리스티 칼리지에 입학했습니다. 거기서 존 키드의 광물학과 화학 강의를 들으면서 과학적 지식을 발전시켰습니다. 키드가 자리를 내려놓은 후에는 버클랜드가 대학교에서 후임으로 임명되었습니다. 버클랜드는 대표적인 샘플과 대규모 지질도를 강의에 사용하여 그의 강의를 더 생동감 있게 만들었습니다. 1824 년, 그는 거대한 생물의 뼈를 발견했고, 그것을 메갈로사우루스 또는 '거대한 도마뱀'이라고 명명했습니다. 그는 지질학 협회로부터 그의 지질학적 업적으로 인해 상을 받았습니다.

영어표현	품사	뜻	유의어	반의어
benefit concert	명사	자선 음악회	fundraising concert	Profit-driven concert
charity	명사	자선	Philanthropy, humanitarianism	Selfishness, self-interest
profits	명사	이익금	earnings	Losses, deficits
be donated to	동사	기부되다	Contribute to, give to	Withheld from, kept
performances	명사	공연	Acts, presentations	Inactivity
available to buy	형용사	구매 가능	Available for purchase	Unavailable for purchase
other attractions	명사	다른 매력	Additional attractions	Lack of attractions
on display	형용사	전시 중	On exhibit	Hidden, concealed
for purchase	형용사	구매 가능	For sale	Not for sale

영어표현	품사	뜻	유의어	반의어
the perfect spot	명사	완벽한 장소	Ideal location, optimal place	Imperfect location, inadequate place
registration	명사	등록	Enrollment, sign-up	Unregister, withdrawal
observe	동사	관찰하다	Observe, watch	Neglect, ignore
due to	전치사 구	~로 인하여	Because of, owing to	In spite of, despite
notice	동사	알림, 주의	Attention, awareness	Negligence, ignorance
via text message	전치사 구	문자 메시지를 통해	Through text message	Through phone call
are not allowed	동사	허용되지 않다	Prohibited, not permitted	Allowed, permitted

2022 Sunbay High School Benefit Concert

Sunbay High School students will be holding their benefit concert for charity. All profits will be donated to the local children's hospital. Come and enjoy your family and friends' performances.

Date & Time: Thursday, June 30, 2022 at 6 p.m.

Place: Sunbay High School's Vision Hall

Events
- singing, dancing, drumming, and other musical performances
- special performance by singer Jonas Collins, who graduated from Sunbay High School

Tickets
- $3 per person
- available to buy from 5 p.m. at the front desk of Vision Hall

Other Attractions
- club students' artwork on display, but not for purchase
- free face-painting

For more information about the concert, feel free to contact us at concert@sunbayhighs.edu.

Shooting Star Viewing Event

Would you like to watch the rare shooting star, coming on Sunday, July 24? The Downtown Central Science Museum is the perfect spot to catch the vivid view!

Registration
- Online only — www.dcsm.org
- From July 1 to July 14
- The number of participants will be limited to 50.

Schedule on July 24
- 8:00 p.m.: Participants will gather at the hall and then move to the rooftop.
- 8:30 p.m.: Guides will explain how to observe the shooting star.
- 9:00 p.m. – 11:00 p.m.: We will share the experience of the shooting star.

Notes
- If the event is cancelled due to the weather conditions, notice will be given via text message.
- Outside food and drinks are not allowed.

2022 선베이 고등학교 기부 콘서트

선베이 고등학교 학생들이 자선을 위한 콘서트를 개최합니다. 모든 수익금은 지역 어린이 병원에 기부될 예정입니다. 가족과 친구의 공연을 즐기러 오세요.

일시 및 시간: 2022 년 6 월 30 일 목요일 오후 6 시
장소: 선베이 고등학교 비전 홀

행사 내용

·노래, 춤, 드럼 연주 및 기타 음악 공연 ·선베이 고등학교 졸업생인 가수 조나스 콜린스의 특별 공연

티켓

·인당 $3
·오후 5 시에 비전 홀 정문에서 구매 가능

기타 볼거리

·클럽 학생들의 작품 전시, 판매는 불가능합니다
·무료 얼굴 그림 콘서트에 관한 자세한 정보는 concert@sunbayhighs.edu 로 문의해 주세요.

Shooting Star Viewing Event

7월 24일 일요일에 희귀한 유성을 관람하실 의향이 있으신가요? 다운타운 중앙 과학 박물관이 생생한 경관을 감상하기에 완벽한 장소입니다!

등록

·온라인에서만 가능 - www.dcsm.org
·7월 1일부터 7월 14일까지
·참가자 수는 50명으로 제한됩니다.

7월 24일 일정

·오후 8:00: 참가자들이 홀에서 모여 옥상으로 이동합니다.
·오후 8:30: 안내자가 유성을 관찰하는 방법을 설명합니다.
·오후 9:00 ~ 11:00: 유성 관람 경험을 공유합니다.

참고 사항

·날씨 상황으로 인해 행사가 취소될 경우 텍스트 메시지로 통보됩니다.
·외부 음식과 음료는 허용되지 않습니다.

영어표현	품사	뜻	유의어	반의어
in a conflict	명사 구	갈등 상황에서	engaged in a dispute	resolution
attacking a rival	동사	경쟁자를 공격하는	assaulting an adversary	defending against a rival
fleeing	동사	도망가는	running away	advancing
initially	부사	초기에	at first	finally
sufficient	형용사	충분한	adequate	insufficient
optimal decision	형용사 + 명사	최적의 결정	best possible choice	suboptimal decision
risk getting injured	명사 구	부상위험을 감수	chance of getting hurt	playing it safe
defeatable	형용사	패배할 수 있는	be conquerable	be invincible
consideraeble	형용사	상당한	significant	negligible
obtaining	명사	획득	acquiring	relinquishing
is at stake	동사 구	위태로운 상태에	is in jeopardy	is secure
constant	형용사	불변의	unchanging	changing
at regular intervals	부사	정기적으로	periodically	sporadically
the opponent	명사	상대방, 상대	the adversary	ally
is more likely to reach	동사 구	더 가능성 있다	has a higher probability of reaching	is less likely to reach
maximizes its chances	동사	가능성을 극대화	optimizes its opportunities	minimizes its chances
assessment	동사	평가, 판단	evaluation	neglect
contributing	명사	기여하는	participating	withdrawing
supplying	명사	제공하는	providing	withholding
the likely outcomes	동사	가능한 결과	the probable results	the unlikely outcomes
various options	명사 구	다양한 옵션	different choices	limited options

The animal in a conflict between attacking a rival and fleeing may initially not have sufficient information to enable it to make a decision straight away. If the rival is likely to win the fight, then the optimal decision would be to give up immediately and not risk getting injured. But if the rival is weak and easily defeatable, then there could be considerable benefit in going ahead and obtaining the territory, females, food or whatever is at stake. Animals under normal circumstances maintain a very constant body weight and they eat and drink enough for their needs at regular intervals. By taking a little extra time to collect information about the opponent, the animal is more likely to reach a decision that maximizes its chances of winning than if it takes a decision without such information. Many signals are now seen as having this information gathering or 'assessment' function, directly contributing to the mechanism of the decision-making process by supplying vital information about the likely outcomes of the various options.

동물이 경쟁 상대를 공격하거나 도망가는 상황에서는 처음에는 즉시 결정을 내릴 충분한 정보가 없을 수 있습니다. 만약 경쟁 상대가 싸움에서 이기는 것으로 예상된다면, 최적의 결정은 즉시 포기하고 부상을 입히지 않는 것입니다. 그러나 경쟁 상대가 약하고 쉽게 패배할 수 있는 경우, 영토, 암컷, 식량 또는 어떤 것이 걸려있다면 진행하고 이득을 얻을 수 있습니다. 보통 상황에서 동물은 매우 일정한 몸무게를 유지하며 필요에 맞게 충분히 먹고 마십니다. 상대에 대한 정보를 수집하는 데 조금 더 시간을 들이면, 동물은 그 정보 없이 결정을 내리는 것보다 승리 가능성을 극대화하는 결정에 도달할 가능성이 더 높습니다. 많은 신호가 이 정보 수집 또는 '평가' 기능을 갖고 있다고 지금은 인식되며, 각종 옵션의 가능한 결과에 대한 중요한 정보를 제공함으로써 의사 결정 과정의 메커니즘에 직접 기여합니다.

영어표현	품사	뜻	유의어	반의어
semester	명사	학기	Term, academic term	Break, vacation
dorm room	명사구	기숙사 방	Residence hall room	Own home
disappointed	형용사	실망한	Unhappy, let down	Pleased, satisfied
noticed	형용사	알아차린	Observed, perceived	Overlooked, ignored
personalizing	형용사	개인화하는	Customizing, personalizing	Standardizing
furniture	명사	가구	furnishings and equipment	Empty space, emptiness
delighted	형용사	기쁜	Pleased, thrilled	Displeased, discontented
refreshment	명사	간식	Snack, beverage	-
hardly slept	동사	거의 자지 않았다	Barely slept	Slept soundly
rearrange	동사	재배치하다	Reorganize, rearrange	Maintain order, keep as is
mentioned	형용사	언급한	Referenced, brought up	Omitted, skipped
chatting	형용사	잡담하는	conversing	Remaining silent, staying quiet
reponse to	전치사	대응하여	In reaction to, in answer to	Not in response to
conversations	명사	대화	Talks, discussions	Silence, silence
in the middle of	전치사	중간에	In the midst of, halfway through	At the beginning of
영어표현	품사	뜻	유의어	반의어

2024년 43-45번 문제

It was the first day of the semester. Looking around his shared dorm room, Noah thought that it looked exactly like every other dorm room at the university, and he became disappointed. His roommate Steve noticed it and asked what was wrong. Noah answered quietly that he thought their room was totally boring. He wished the space felt a bit more like their space. Steve agreed and suggested that they could start personalizing the room like Noah wanted, the next day.

Noah hardly slept that night making plans for the room. After Steve woke up, they started to rearrange the furniture. All of the chairs and the sofa in their room were facing the TV. Noah mentioned to Steve that most of their visitors usually just sat and watched TV instead of chatting. In response to his idea, Steve suggested, "How about we put the sofa over there by the wall so it will be easier to have conversations?" Noah agreed, and they moved it by the wall.

After changing the place of the sofa, they could see that they now had a lot of space in the middle of their room. Then, Noah remembered that his brother Sammy had a big table in his living room for playing board games and told Steve about it. Steve and Noah both really enjoyed playing board games. So, Steve replied to Noah, " I think putting a table in the middle of our room would be great for drinking tea as well as playing board games!" Both Noah and Steve agreed and decided to go shopping for a table.

As they walked through a furniture store, Steve found a pretty yellow table. Since he knew that yellow was Noah's favorite color, Steve asked him what he thought about buying that table. Noah was happy about the yellow table and said it would make their room more unique. Delighted, Noah added, "Well, yesterday our room was just like any other place at this school. But after today, I really feel like it'll be our place." Now, they both knew that the place would provide them with energy and refreshment.

그 학기 첫 날이었다. 기숙사 방을 둘러보며 노아는 대학

교의 모든 다른 기숙사 방과 똑같이 보인다고 생각하며 실망했다. 그의 룸메이트인 스티브는 그것을 알아채고 무엇이 문제인지 물었다. 노아는 조용히 대답했다. 그들의 방이 완전히 지루하다고 생각했다. 그는 공간이 조금 더 그들 자신의 공간 같았으면 좋겠다고 바랐다. 스티브는 동의하고, 그들은 다음 날 노아가 원하는 대로 방을 개성화할 수 있을 것이라고 제안했다.

노아는 그 밤에 거의 잠을 못자고 방을 꾸미는 계획을 세웠다. 스티브가 일어난 후, 그들은 가구를 재배치하기 시작했다. 그들 방에 있는 모든 의자와 소파는 TV를 향하고 있었다. 노아는 대부분의 방문자들이 보통 얘기하는 대신에 TV를 보는 경향이 있다고 스티브에게 언급했다. 그의 아이디어에 대한 응답으로, 스티브는 "어떨까요? 소파를 벽 쪽에 놓으면 대화하기가 더 쉬울 것 같아요?"라고 제안했다. 노아는 동의했고, 그들은 그것을 벽 쪽으로 옮겼다.

소파의 위치를 변경한 후, 그들은 이제 방 가운데에 많은 공간이 있다는 것을 알 수 있었다. 그러자, 노아는 자신의 형제인 샘미가 거실에 보드 게임을 하기 위한 큰 탁자가 있다는 것을 기억했고, 스티브에게 말했다. 스티브와 노아는 둘 다 보드 게임을 정말 즐겼다. 그래서, 스티브는 노아에게 " 우리 방 가운데에 탁자를 놓으면 차를 마시기도 좋고 보드 게임도 할 수 있을 것 같아요!"라고 답했다. 노아와 스티브는 모두 동의했고, 탁자를 사러 가기로 결정했다.

가구점을 거닐며, 스티브는 예쁜 노란색 탁자를 발견했다. 노아가 노란색을 좋아한다는 것을 알고 있기 때문에, 스티브는 그가 그 탁자를 사는 것에 대해 어떻게 생각하는지 물었다. 노아는 노란색 탁자에 대해 기쁘게 생각하고, 그것이 그들의 방을 더 독특하게 만들 것이라고 말했다. 기뻐하는 노아는 "어제는 우리 방이 이 학교의 다른 어떤 곳과도 똑같았어요. 그러나 오늘 이후로 정말 우리의 공간이 될 것 같아요."라고 덧붙였다. 이제 그들은 그 곳이 그들에게 에너지와 활력을 줄 것을 알게 되었다.

시간이 소중한 당신을 위한

2023년 9월

수능의, 수능에 의한, 수능만을 위한
189개의 단어

2024년을 지나 2023년으로
수능영단어 마라톤 이제부터 진짜예요!

2023년 9월 모의평가 3교시 영어영역
오답률이 가장 높은 15개 문제의 분석

오답률 80%이상	오답률 60%이상	20% 이상이 선택	40% 이상이 선택

[오답률 높은 순]

					2023년				
					9월				
순위	문항 번호	오답률	배점	정답	선택지별 비율				
					①	②	③	④	⑤
1	38	73.1	2	2	5.1	26.9	28.5	22.6	16.9
2	39	71.6	3	5	5.8	13.2	17.1	35.4	28.4
3	34	60.7	3	1	39.3	18.4	11.8	19.3	11.2
4	21	59.3	3	1	40.7	14.6	15.7	14.8	14.2
5	30	57.9	2	5	5.6	13.1	17.4	21.9	42.1
6	33	56.7	3	4	16.7	13.6	13.4	43.3	13
7	29	56.3	2	2	6.1	43.7	17	15.6	17.6
8	42	56	3	3	8.9	14.6	44	23	9.5
9	37	54.9	3	3	4.8	24.7	45.1	14.9	10.5
10	36	48.2	2	5	2.8	14.3	9.4	21.7	51.8
11	32	47.8	2	4	13.2	18.8	10.7	52.2	5
12	23	45.5	3	1	54.5	8.6	14.8	13.2	8.9
13	40	44.7	2	1	55.3	7.9	24.6	9.1	3.2
14	31	44.3	2	2	10.9	55.7	8	11.8	13.6
15	41	43.5	2	3	14.5	14.2	56.5	10.7	4.1

[문제 순서 순]

					2023년				
					9월				
순위	문항 번호	오답률	배점	정답	선택지별 비율				
					①	②	③	④	⑤
4	21	59.3	3	1	40.7	14.6	15.7	14.8	14.2
12	23	45.5	3	1	54.5	8.6	14.8	13.2	8.9
7	29	56.3	2	2	6.1	43.7	17	15.6	17.6
5	30	57.9	2	5	5.6	13.1	17.4	21.9	42.1
14	31	44.3	2	2	10.9	55.7	8	11.8	13.6
11	32	47.8	2	4	13.2	18.8	10.7	52.2	5
6	33	56.7	3	4	16.7	13.6	13.4	43.3	13
3	34	60.7	3	1	39.3	18.4	11.8	19.3	11.2
10	36	48.2	2	5	2.8	14.3	9.4	21.7	51.8
9	37	54.9	3	3	4.8	24.7	45.1	14.9	10.5
1	38	73.1	2	2	5.1	26.9	28.5	22.6	16.9
2	39	71.6	3	5	5.8	13.2	17.1	35.4	28.4
13	40	44.7	2	1	55.3	7.9	24.6	9.1	3.2
15	41	43.5	2	3	14.5	14.2	56.5	10.7	4.1
8	42	56	3	3	8.9	14.6	44	23	9.5

2023년 9월 모의고사는 쉬웠습니다. 6월 모의고사의 밸런스가 좋았기 때문에 모의고사를 준비하는 학생들 모두가 기본기를 열심히 다졌을 것입니다. 문제의 난이도가 엄청 쉬워진 것은 아니지만, 6월에 비해서 낚시문항에 낚이는 학생들이 많이 줄었습니다. 특히 20%대 정답률을 가진 문제는 2개 밖에 없었고 30%대 정답률을 가진 문제도 1개 밖에 없었습니다. 나머지는 전부 정답률이 40%를 넘었습니다. 그래서 상위권학생들에게는 쉬운 수준을 넘어서 모든 사람들이 쉽게 1등급을 받을 것이라는 희망을 주었을 것입니다.

2등급 학생들중에서 많은 학생들이 1등급이 되었습니다. 반대로 2등급일 수 없는 실력의 학생들이 2등급이 된 시험입니다. 그래서 2등급 안에서 실제 실력의 격차가 컸을 것입니다. 2등급과 3등급의 변별력이 많이 줄었습니다.

마지막으로 3등급과 그 밑의 등급을 가지고 있던 학생들은 놀랐을 것입니다. 시험을 보고 답을 맞추면서 지난 6~9월동안 자신이 정말 공부를 열심히 했다는 뿌듯함도 들었을 것입니다. 갑자기 성적이 엄청 올랐다는 느낌을 받았기 때문입니다. 하지만 이것은 착각입니다. 그냥 문제 난이도 조절을 잘못한 것입니다. 원래 평가원에서 전통적으로 자주 하는 패턴입니다. 6월에 어렵게 내서 학생들의 실력을 평가하고 9월에 쉽게 내서 중하위권들에게 공부를 더 하라는 메시지를 줍니다. 하면 된다는 기대심리를 심어줍니다. 마지막 11월 수능에서 완벽한 밸런스를 맞춰서 문제를 구성하는데 이때 3~4등급의 학생들이 원래 성적으로 돌아와 버립니다. 만약에 이번 23년 9월 영어영역에서 생각보다 높은 성적과 등급이 나왔다면 긴장하셔야 합니다. 11월 진짜 수능에서는 다르게 나올 것이기 때문입니다. 여전히 기본기인 단어와 문해력을 길르셔야 합니다.

.

영어표현	품사	뜻	유의어	반의어
mayor	명사	시장	City leader, city official	Citizen
attend	동사	참석하다	Participate, be present	Avoid, skip
on behalf of	전치사	대표로	On behalf of, representing	Individually, personally
community	명사	지역사회	neighborhood	Isolation, individualism
performance	명사	공연	Presentation, show	inactivity
moved us	동사	감동시켰다	Touched, deeply affected	Left unmoved, unaffected
entire	형용사	전체의	Whole, complete	Partial, incomplete
cheer	명사	환호	Applause, support	Silence, disapproval
perform	동사	공연하다	Entertain, put on a show	Observe
mayor	명사	시장	City leader, city official	Citizen
attend	동사	참석하다	Participate, be present	Avoid, skip
on behalf of	전치사	대표로	On behalf of, representing	Individually, personally
community	명사	지역사회	neighborhood	Isolation, individualism

영어표현	품사	뜻	유의어	반의어
crayon	명사	크레용	Coloring tool	Eraser
approached	동사	다가가다	neared	Retreated, moved away
toddler	명사	유아	Young child, little one	Adult
with interest	형용사	흥미를 갖고	With curiosity, with fascination	Without interest, uninterested
without reply	형용사	답변 없이	Without response, unanswered	With a reply, responded
continued	동사	계속되다	Persisted, went on	Stopped, discontinued
recognized	동사	인식하다	Acknowledged, identified	Overlooked, ignored
a beard	명사	수염	Facial hair	Clean-shaven
filled with joy	형용사	기쁨으로 가득한	Full of happiness	Filled with sorrow

2023년 18번 문제

Dear Natalie Talley, My name is Olivia Spikes, the mayor of Millstown. Before you attend the world championships next month, on behalf of everyone in Millstown, I wish to let you know that we are supporting you all the way. As you are the first famous figure skater from Millstown, we are all big fans of yours. Our community was so proud of you for winning the national championships last year. Your amazing performance really moved us all. We all believe that you are going to impress the entire nation again. Your hometown supporters will cheer for you whenever you perform on the ice. Good luck! Best wishes, Olivia Spikes

친애하는 나탈리 탤리씨, 저는 밀스타운의 시장 올리비아 스파이크스입니다. 다음 달에 세계 선수권 대회에 참석하기 전에 밀스타운의 모든 사람들을 대신하여 여러분을 응원한다는 것을 알려드리고 싶습니다. 여러분은 밀스타운 출신으로 첫 번째로 유명한 피겨 스케이터이기 때문에, 우리 모두가 여러분의 팬입니다. 우리 지역 사회는 지난해 국가 선수권에서 우승한 여러분에게 매우 자랑스러웠습니다. 여러분의 놀라운 공연은 우리 모두를 감동시켰습니다. 우리는 여러분이 전국을 다시 한 번 놀라게 할 것이라고 믿습니다. 여러분의 고향 지지자들은 여러분이 어디에서나 얼음 위에서 공연할 때마다 응원할 것입니다. 행운을 빕니다! 최선의 소망을 담아, 올리비아 스파이크스

2023년 19번 문제

"Daddy!" Jenny called, waving a yellow crayon in her little hand. Nathan approached her, wondering why she was calling him. Jenny, his three-year-old toddler, was drawing a big circle on a piece of paper. "What are you doing, Sweetie?" Nathan asked with interest. She just kept drawing without reply. He continued watching her, wondering what she was working on. She was drawing something that looked like a face. When she finished it, Jenny shouted, "Look, Daddy!" She held her artwork up proudly. Taking a closer look, Nathan recognized that it was his face. The face had two big eyes and a beard just like his. He loved Jenny's work. Filled with joy and happiness, Nathan gave her a big hug.

"아빠!" 제니가 작은 손에 노란 크레용을 흔들며 불렀다. 네이단이 그녀가 왜 자기를 불렀는지 궁금해하며 그녀에게 다가갔다. 제니, 세 살짜리 아기,은 종이 위에 큰 동그라미를 그리고 있었다. "뭐 해요, 달링?" 네이단이 흥미롭게 물었다. 그녀는 대답 없이 계속 그리기만 했다. 그는 계속 그녀를 지켜보며 그녀가 무엇을 하고 있는지 궁금해했다. 그녀는 어떤 얼굴 같은 것을 그리고 있었다. 그것을 마친 후, 제니는 "봐, 아빠!"라고 외쳤다. 그녀는 자랑스럽게 그녀의 작품을 들어올렸다. 더 자세히 보자, 네이단은 그것이 자신의 얼굴이라는 것을 알아차렸다. 얼굴은 그의 것과 똑같이 큰 두 눈과 수염을 가지고 있었다. 네이단은 제니의 작품을 사랑했다. 기쁨과 행복으로 넘치는 네이단은 그녀를 크게 안아주었다

영어표현	품사	뜻	유의어	반의어
competent	형용사	유능한	Capable, skilled	Incompetent, inadequate
beyond behavior	명사	행동 이상	-	-
the attitudes	명사	태도	Mindset, outlook	Indifference
motivate	동사	동기 부여하다	Inspire, encourage	Discourage, demotivate
observe	동사	관찰하다	Observe, watch	Overlook, neglect
visible	형용사	보이는	Apparent, noticeable	Invisible, hidden
aspects	명사	측면, 부분	Facets, elements	Whole picture
short sighted view	명사	단면적인 시각	Narrow perspective	Broad perspective
intercultural	형용사	다문화적인	Multicultural	Monocultural
the tip of the iceberg	명사	빙산의 조각	-	-
interactions	명사	상호 작용	exchanges	a single action
is ordered	동사	정리되다	Is organized	is distracted
below the surface	전치사	표면 아래로	Beneath the surface	Above the surface
attempt to see	동사	보려고 시도하다	Attempt to perceive	Avoid looking into
hidden dimensions	명사	숨겨진 차원	Unseen dimensions	Apparent dimensions
foundation	명사	기반	Underlying, groundwork	Surface, superficiality
meets	명사	만족시키다	satisfies	Falls short, fails
norms	명사	규범	Standards, principles	Deviation
violate	동사	어기다	Breach	Follow, conform
consider	명사	고려하다	Contemplate, think about	Disregard, ignore
judgment	명사	판단	Evaluation, assessment	Prejudice, bias

Becoming competent in another culture means looking beyond behavior to see if we can understand the attitudes, beliefs, and values that motivate what we observe. By looking only at the visible aspects of culture — customs, clothing, food, and language — we develop a short-sighted view of intercultural understanding — just the tip of the iceberg, really. If we are to be successful in our business interactions with people who have different values and beliefs about how the world is ordered, then we must go below the surface of what it means to understand culture and attempt to see what Edward Hall calls the "hidden dimensions." Those hidden aspects are the very foundation of culture and are the reason why culture is actually more than meets the eye. We tend not to notice those cultural norms until they violate what we consider to be common sense, good judgment, or the nature of things.

다른 문화에서 능력을 키우는 것은 우리가 관찰하는 것을 동기로 하는 태도, 신념 및 가치를 이해할 수 있는지 여부를 확인하기 위해 행동 너머를 본다는 것을 의미합니다. 문화의 가시적인 측면만을 보는 것 — 관습, 의복, 음식 및 언어 — 은 문화적 이해의 단면적인 시각을 형성합니다. 정말로, 그저 빙산의 꼭대기에 불과합니다. 다른 가치 및 신념을 가진 사람들과의 비즈니스 상호 작용에서 성공적이 되려면 문화를 이해하는 것이 무엇을 의미하는지 깊게 파고들고 에드워드 홀이 "숨겨진 차원"이라고 부르는 것을 볼 수 있는 시도를 해야 합니다. 그 숨겨진 측면들은 문화의 근간이며 문화가 실제로 보이는 것 이상인 이유입니다. 우리는 그 문화적 규범들이 우리가 상식적이라고 생각하는 것, 올바른 판단이라고 생각하는 것, 또는 사물의 본질을 침해할 때까지 그러한 것들을 인식하지 않습니다.

영어표현	품사	뜻	유의어	반의어
historically	명사	역사적으로	Historically	Unhistorically
drafters	명사	작성자들	creators	Readers, recipients
tax	형용사	세금	Revenue	subsidy
legislation	명사	법률	Laws, statutes	Illegalities, lawlessness
attentive	명사	주의깊은	focused	Inattentive
economics	형용사	경제학	financial matters	-
moral	형용사	도덕적인	Ethical, virtuous	Immoral, unethical
legislative	명사	입법의	Legislative, statutory	Non-legislative, non-statutory
debate	명사	토론	Discussion, discourse	Agreement
labeled	형용사	라벨이 붙은	Categorized, tagged	Uncategorized, untagged
comtroversial	형용사	논란의 여지가 있는	Contentious, disputable	Non-contentious, non-disputable
irrelevamt	부사	관계 없는	immaterial	Relevant
in fact	형용사	사실상	Actually, indeed	Fictionally, fictionally
creation	명사	창조	Formation, establishment	Destruction, annihilation
fundamental	형용사	근본적인	Essential, crucial	Non-essential, non-crucial
imposition	명사	부과	levy	Exemption, relief
application	형용사	적용	implementation	non-implementation
distributive	형용사	분배적인	-	-
go a long way	동사	오래 지속되다	last	cease
determine	동사	결정하다	Decide, ascertain	Postpone, delay
in a vacuum	형용사	공허한 상태에서	In isolation	In context
identify	명사	식별하다	Recognize, pinpoint	Misidentify, misinterpret
policy	동사	정책	Strategy, approach	Chaos, disorder
requires	명사	요구하다	Demands, necessitates	-
task	명사	작업	Assignment, undertaking	Leisure, relaxation
involve	명사	포함하다	Include, incorporate	Exclude, omit
ethics	명사	윤리학	Morality, moral principles	Immorality, unethical behavior
analysis	명사	분석	Examination, scrutiny	-

Historically, drafters of tax legislation are attentive to questions of economics and history, and less attentive to moral questions. Questions of morality are often pushed to the side in legislative debate, labeled too controversial, too difficult to answer, or, worst of all, irrelevant to the project. But, in fact, the moral questions of taxation are at the very heart of the creation of tax laws. Rather than irrelevant, moral questions are fundamental to the imposition of tax. Tax is the application of a society's theories of distributive justice. Economics can go a long way towards helping a legislature determine whether or not a particular tax law will help achieve a particular goal, but economics cannot, in a vacuum, identify the goal. Creating tax policy requires identifying a moral goal, which is a task that must involve ethics and moral analysis.

역사적으로, 세법 입법자들은 경제와 역사 문제에 주의를 기울였으며 도덕적 문제에는 덜 주의를 기울였습니다. 도덕적 문제들은 종종 입법 논쟁에서 물러나거나 너무 논란적이거나 대답하기 어렵거나, 더 나쁜 경우에는 프로젝트와 관련이 없다고 라벨이 붙습니다. 그러나 사실, 세무법의 도덕적 문제들이 세법의 창조의 핵심에 있습니다. 무관한 것이 아니라, 도덕적 문제들은 세무의 부과에 근본적입니다. 세금은 사회의 분배 정의 이론의 적용입니다. 경제학은 특정 세법이 특정 목표를 달성하는 데 도움이 될지 여부를 입법부에 결정하는 데 큰 도움이 될 수 있지만, 경제학은 목표를 식별할 수 없습니다. 세법 정책을 만들려면 도덕적 목표를 식별해야 하며, 이는 윤리학과 도덕적 분석을 필요로 하는 작업입니다.

영어표현	품사	뜻	유의어	반의어
committed	형용사	헌신적인	Dedicated, devoted	Indifferent, apathetic
enthusiasts	명사	열렬한 지지자들	fans	Detractors, critics
experts	명사	전문가들	Authorities, specialists	Amateurs, novices
voice the opinion	동사	의견을 표명하다	state a viewpoint	remain silent
lies in	동사	존재하다	Resides in, can be found in	-
expressive deviation	명사	표현적인 일탈	creative departure	Conventional adherence
defined score	명사	확실한 점수	precise rating	vague rating
performances	명사	공연	Presentations, shows	absence of shows
gain in attraction	동사	인기를 얻다	Attract interest, captivate	decline in popularity
go far beyond	동사	멀리 넘어가다	Go well beyond, surpass	Fall short of, fail to reach
in his early studies	표현	그의 초기 연구에서	In the early stages of his studies	In later studies
discovered	형용사	발견한	Discovered, uncovered	overlooked
rarely	부사	드물게, 거의	Infrequently, seldom	Frequently, regularly
notes	명사	음표	Musical notes, tones	Rests, silence
metric structure	명사	매트릭 구조	Structural framework	Lack of structure
potential	명사	잠재력	Capability, potentiality	Limitation, constraint
variations	명사	변형	Differences, alterations	Uniformity, constancy
tonal quality	명사	음조 품질	Sound quality	-
intonation	명사	억양	Pitch modulation	monotony
based on	전치사	기반으로	Based on, founded on	Not based on, unrelated to
composition	명사	작곡	piece of music	Random musical creation
diverges from	동사	벗어나다	Differs from, deviates from	Converges with, adheres to
expressivity	명사	표현력	artistic expression	Lack of expressiveness
lose interest	동사	흥미를 잃다	become disinterested	remain engaged
worthwhile	형용사	가치 있는	Worth the effort, rewarding	Unrewarding, not worth it
repertoire	명사	연주곡집	collection of works	lack of variety
interpretations	명사	해석들	renditions	Misinterpretations
serves	동사	기능하다	Functions as, serves as	Non-functional, does not serve
animate	동사	활기를 불어넣다	Bring to life, give life to	Stagnate, lifeless

Not only musicians and psychologists, but also committed music enthusiasts and experts often voice the opinion that the beauty of music lies in an expressive deviation from the exactly defined score. Concert performances become interesting and gain in attraction from the fact that they go far beyond the information printed in the score. In his early studies on musical performance, Carl Seashore discovered that musicians only rarely play two equal notes in exactly the same way. Within the same metric structure, there is a wide potential of variations in tempo, volume, tonal quality and intonation. Such variation is based on the composition but diverges from it individually. We generally call this 'expressivity'. This explains why we do not lose interest when we hear different artists perform the same piece of music. It also explains why it is worthwhile for following generations to repeat the same repertoire. New, inspiring interpretations help us to expand our understanding, which serves to enrich and animate the music scene.

음악가와 심리학자 뿐만 아니라 헌신적인 음악 애호가와 전문가들도 종종 음악의 아름다움은 정확하게 정의된 악보에서의 표현적인 이탈에 있다는 견해를 표명합니다. 콘서트 공연은 악보에 인쇄된 정보를 크게 초월하는 점에서 흥미로워지고 매력적으로 변합니다. 칼 셰쇼어는 음악 연주에 관한 초기 연구에서 음악가들이 거의 동일한 두 음을 정확히 같은 방식으로 연주하는 일은 드물다는 사실을 발견했습니다. 동일한 박자 구조 내에서는 템포, 음량, 음조 및 음정의 다양한 변화 가능성이 있습니다. 이러한 변화는 작곡에서 기인하지만 개인적으로는 이와 다릅니다. 우리는 일반적으로 이를 '표현성'이라고 합니다. 이것이 바로 같은 곡을 다른 예술가들이 연주해도 흥미를 잃지 않는 이유입니다. 또한 같은 레퍼토리를 다음 세대가 반복하는 가치가 있는 이유입니다. 새롭고 영감을 주는 해석은 우리의 이해를 확장하는 데 도움이 되며 음악 장면을 더욱 풍성하고 활기 있게 만듭니다.

영어표현	품사	뜻	유의어	반의어
renewable energy	명사	재생 에너지	Sustainable energy	Non-renewable energy
generation	명사	생성	Creation, production	Consumption, consumption
capacity	명사	용량	Volume, capability	Limit, restriction
respective	형용사	각각의	Individual, specific	Collective, combined
in terms of	전치사	~에 관해서	In regard to, concerning	Not related to, unrelated to
remained	동사	유지되었다	Stayed, stayed unchanged	Changed, altered

영어표현	품사	뜻	유의어	반의어
immigrant	명사	이민자	Migrant	Native
graduate student	명사	대학원생	Postgraduate student	Undergraduate student
was influenced	동사	영향을 받았다	Was impacted, was affected	Was unaffected
a leading psychologist	명사	주요 심리학자	Prominent psychologist	Less-known psychologist
continued	동사	계속되다	Persisted, carried on	Paused, stopped
comparision	명사	비교	Comparison, contrast	Agreement, similarity
reputation	명사	평판	Standing, standing in the community	Disrepute, tarnished reputation
actively	부사	적극적으로	Energetically, actively	Passively, inactively
participated in	동사	참여했다	Took part in, engaged in	Opted out of, refrained from
cooperation	명사	협력	Collaboration, teamwork	Individual effort, solo work
cited psychologists	명사	인용된 심리학자들	Referenced psychologists	Ignored psychologists
theories	명사	이론	Concepts, hypotheses	Facts, data
play an important role	동사	중요한 역할을 하는	Have a significant impact	Play a minor role

2023년 25번 문제

The graph above shows the top four European countries with the most renewable energy generation capacity in 2011 and in 2020. Each of the four countries in the graph had a higher capacity to generate renewable energy in 2020 than its respective capacity in 2011. Germany's capacity to generate renewable energy in 2011 reached more than 50.0 gigawatts, which was also the case in 2020. Among the countries above, Spain ranked in second place in terms of renewable energy generation capacity in 2011 and remained in second place in 2020. The renewable energy generation capacity of Italy in 2020 was lower than that of Spain in the same year. The renewable energy generation capacity of France was higher than that of Italy in both 2011 and 2020.

위의 그래프는 2011 년과 2020 년에 가장 많은 재생 에너지 생산 용량을 가진 유럽의 네 가지 국가를 보여줍니다. 그래프에 있는 네 개 국가 각각은 2020 년에 각각의 용량보다 2011· 년보다 더 많은 재생 에너지를 생성할 수 있는 능력을 가졌습니다. 독일의 재생 에너지 생산 용량은 2011 년에 50.0 기가와트 이상으로 달성되었으며, 이는 2020 년에도 마찬가지였습니다. 위의 국가 중에서 스페인은 2011 년에 재생 에너지 생산 용량에서 두 번째로 높은 자리를 차지했으며, 2020 년에도 그 자리를 유지했습니다. 이탈리아의 2020 년 재생 에너지 생산 용량은 동일한 해의 스페인보다 낮았습니다. 프랑스의 재생 에너지 생산 용량은 2011 년과 2020 년에 모두 이탈리아보다 높았습니다.

2023년 26번 문제

Leon Festinger was an American social psychologist. He was born in New York City in 1919 to a Russian immigrant family. As a graduate student at the University of Iowa, Festinger was influenced by Kurt Lewin, a leading social psychologist. After graduating from there, he became a professor at the Massachusetts Institute of Technology in 1945. He later moved to Stanford University, where he continued his work in social psychology. His theory of social comparison earned him a good reputation. Festinger actively participated in international scholarly cooperation. In the late 1970s, he turned his interest to the field of history. He was one of the most cited psychologists of the twentieth century. Festinger's theories still play an important role in psychology today.

Leon Festinger 는 미국의 사회 심리학자였습니다. 그는 1919 년 뉴욕시에 이민자 출신의 러시아 가족에게 태어났습니다. 아이오와 대학교의 대학원생으로서, Festinger 는 주요 사회 심리학자인 Kurt Lewin 의 영향을 받았습니다. 거기에서 졸업한 후, 그는 1945 년에 매사추세츠 공과 대학교의 교수가 되었습니다. 나중에 그는 스탠퍼드 대학교로 이동하여 사회 심리학 연구를 계속했습니다. 그의 사회 비교 이론은 그에게 좋은 평판을 얻게 했습니다. Festinger 는 국제 학술 협력에 적극적으로 참여했습니다. 1970 년대 후반에는 역사 분야에 흥미를 두기 시작했습니다. 그는 20 세기 최고의 인용 수가 있는 심리학자 중 하나였습니다. Festinger 의 이론은 오늘날에도 심리학에서 중요한 역할을 하고 있습니다.

영어표현	품사	뜻	유의어	반의어
invites	동사	초대하다	Invite	Exclude
annual	형용사	연간의	Yearly	Occasional
refreshing	형용사	상쾌한	Rejuvenating	Stale
traditional	형용사	전통적인	Conventional	Modern, innovative
includes	명사	포함하다	Incorporate, contain	Omit, exclude
culture	명사	문화	Heritage, tradition	Innovation, contemporary
observing	명사	관찰하다	Watch, witness	Neglect, ignore
demonstration	명사	시연	Presentation, display	Hiding, concealment
participating	동사	참여하다	Take part in, join in	Abstain, abstain from
tasting	동사	맛보다	Sample, try	-
reservations	명사	예약	Booking, arrangement	without reservation
at least	표현	적어도	At the minimum, at least	At most
영어표현	품사	뜻	유의어	반의어

2022 K-Tea Culture Program

Evergreen Tea Society invites you to the second annual K-Tea Culture Program! Come and enjoy a refreshing cup of tea and learn about traditional Korean tea culture.

Program Includes:

1) Watching a short video about the history of Korean tea culture
2) Observing a demonstration of a traditional Korean tea-ceremony (*dado*)
3) Participating in the ceremony yourself
4) Tasting a selection of teas along with cookies

When: Saturday, September 24, 3:00 p.m. – 5:00 p.m.

Where: Evergreen Culture Center

Participation Fee: $20 per person (traditional teacup included)

Reservations should be made online (www.egtsociety.or.kr) at least one day before your visit.

2022 K-차 문화 프로그램

에버그린 차 사회에서 여러분을 초대합니다! 제 2 회 연례 K-차 문화 프로그램에 참여해주세요! 상쾌한 차 한 잔을 즐기고 전통 한국 차 문화에 대해 배워보세요.

프로그램 내용:

한국 차 문화의 역사에 관한 짧은 영상 시청

전통 한국 차례 (다도) 시연 관람

참석자들의 차례 직접 체험

다양한 종류의 차와 쿠키 맛보기

일시: 2022 년 9 월 24 일 토요일, 오후 3:00—5:00

장소: 에버그린 문화 센터

참가비: 1 인당 $20 (전통적인 찻잔 포함)

온라인 예약은 방문 하루 전까지 (www.egtsociety.or.kr)에 해주시기 바랍니다.

영어표현	품사	뜻	유의어	반의어
meet	동사	만나다	-	Avoid
analyst	명사	분석가	evaluator	-
author	명사	저자	Writer	Reader
give a lecture	동사	강의하다	Deliver a lecture	Listen, attend a lecture
limited to	동사	한정되다	Restricted to, confined to	Unlimited, open to all
beverages	명사	음료	Drinks	Solid food
is not permitted	동사	허용되지 않다	Is prohibited, is not allowed	Is allowed, is permitted
be followed by	동사	뒤를 따라가다	Be succeeded by, come after	Precede, come before
participants	명사	참가자	Attendees	Observers
영어표현	품사	뜻	유의어	반의어

Career Day with a Big Data Expert

Meet a Big Data expert from a leading IT company! Jill Johnson, famous data analyst and bestselling author, will be visiting Sovenhill High School to give a lecture on careers related to Big Data.

Participation:
- Sovenhill High School students only
- Limited to 50 students

When & Where:
- October 15, 10:00 a.m. to 11:30 a.m.
- Library

Registration: Scan the QR code to fill in the application form.

Note:
- Drinking beverages is not permitted during the lecture.
- The lecture will be followed by a Q&A session.
- All participants will receive a free copy of the lecturer's book.

Career Day with a Big Data Expert
주요 IT 기업의 빅데이터 전문가를 만나보세요!
유명한 데이터 분석가이자 베스트셀러 작가인 질 존슨이 소벤힐 고등학교를 방문하여 빅데이터와 관련된 직업에 대한 강연을 진행할 예정입니다.

참여 자격:

소벤힐 고등학교 학생들만 참가 가능
참가 인원은 50 명으로 제한됨
일시 및 장소:
10 월 15 일, 오전 10:00 부터 11:30 까지
도서관
등록: QR 코드를 스캔하여 신청서를 작성하세요.
참고 사항:
강의 중 음료 섭취는 허용되지 않습니다.
강연 후 질의응답 시간이 있습니다.
모든 참가자에게 강사의 책이 무료로 제공됩니다.

영어표현	품사	뜻	유의어	반의어
plants	명사	식물	Flora	animal
recover	동사	회복하다	Heal, recuperate	Deteriorate, worsen
essential	형용사	필수적인	Necessary, vital	Non-essential, dispensable
revitalization	명사	회생, 살아나는 것	Revival, renewal	Decline, deterioration
environments	명사	환경	Surroundings, conditions	Controlled settings
preferential	형용사	우선적인	favored	disregarded
ability	명사	능력	Capability, capacity	Inability, incapacity
generate	동사	생성하다	Create, produce	Deteriorate, break down
organs	명사	기관	-	-
tissues	명사	조직	-	non-organic matter
life cytcle	명사	생명주기	-	-
meristems	명사	분열조직	-	-
regions	명사	지역	Areas, zones	-
undifferentiated tissue	명사	미분화된 조직	Undifferentiated cells	specialized cells
in response to	전치사	~에 대응하여	reacting to	Ignoring signals
cues	명사	신호	Signals, stimuli	Lack of stimuli, absence of cues
untimately	부사	최종적으로	Eventually, ultimately	Initially, at first
barren	부사	메마른, 황량한	Barren, desolate	Fertile, productive
scale	형용사	범위	Scope, range	Limit, restrict
struck	명사	타격을 받은	Hit, impacted	Miss, avoid
grasslands	명사	초원, 목초지	Prairies, meadows	Urban areas, cityscapes
regulate	동사	규제하다	Control, govern	Chaos, disorder
adjust	명사	조절하다	Modify, adapt	Promote disorder, disorganize
composition	명사	구성	makeup	Decomposition, breakdown
atmosphere	명사	대기	Air	Vacuum
in addition to	전치사	~에 추가로	besides	Exclusively, solely
resprouting	명사	다시 발아함	Sprouting again, regrowth	Ceasing growth, stagnation
disturbed areas	명사	혼란스러운 지역	Disturbed zones, affected areas	Stable zones
reseeding	명사	재종파	Seeding again	Preventing reseeding

Because plants tend to recover from disasters more quickly than animals, they are essential to the revitalization of damaged environments. Why do plants have this preferential ability to recover from disaster? It is largely because, unlike animals, they can generate new organs and tissues throughout their life cycle. This ability is due to the activity of plant meristems — regions of undifferentiated tissue in roots and shoots that can, in response to specific cues, differentiate into new tissues and organs. If meristems are not damaged during disasters, plants can recover and ultimately transform the destroyed or barren environment. You can see this phenomenon on a smaller scale when a tree struck by lightning forms new branches that grow from the old scar. In the form of forests and grasslands, plants regulate the cycling of water and adjust the chemical composition of the atmosphere. In addition to regeneration or resprouting of plants, disturbed areas can also recover through reseeding.

식물은 동물보다 재해로부터 빨리 회복되는 경향이 있어서 손상된 환경의 재생에 중요합니다. 식물이 왜 이러한 재해로부터 빠르게 회복하는 능력을 가지고 있을까요? 이는 주로 동물과 달리, 식물은 수명 주기 내내 새로운 기관과 조직을 생성할 수 있기 때문입니다. 이 능력은 식물의 뿌리와 줄기의 미분화된 조직인 식물 미분생조직의 활동 때문입니다. 특정 신호에 반응하여 새로운 조직과 기관으로 분화될 수 있는 식물 미분생조직은 재해 동안 손상되지 않는다면, 식물은 회복하여 마침내 파괴된 또는 메말라버린 환경을 변형할 수 있습니다. 번개에 맞은 나무가 오래된 상처에서 새로운 가지가 자라는 현상을 더 작은 규모에서 볼 수 있습니다. 숲과 초원의 형태로, 식물은 물의 순환을 조절하고 대기의 화학 조성을 조절합니다. 식물의 재생이나 새로운 뿌리가 돋아나오는 것 외에도, 손상된 지역은 씨를 뿌려서 회복될 수도 있습니다.

영어표현	품사	뜻	유의어	반의어
walking out	동사	나가다, 떠나다	Leaving, exiting	Staying in
traveling companion	명사	여행 동료	-	-
pounding	형용사	두근거림	Thumping	Gentle tapping
hurrying	형용사	서두르는	Hastening, rushing	Taking one's time
with excitement	형용사	흥분하며	With enthusiasm, eagerly	Without excitement
responded	동사	응답하다	Replied, answered	Remained silent
come true	동사	이뤄진다, 실현된다	Realized, became a reality	Failed to materialize
exhibition	명사	전시	Exhibition, display	Non-exhibition
stated	형용사	진술한, 말한	Expressed, declared	Unstated, unsaid
considering	형용사	고려하는 중인	Thinking about, contemplating	Ignoring
relieved	형용사	안심된	Relieved, reassured	Anxious
kept calm	형용사	차분하게 유지한	remained composed	Lost composure
a notice	명사	통지	Notification, announcement	No notice, unnoticed
sighed	명사	한숨쉬다	Exhaled loudly	Breathed in
lent	동사	빌렸다	Borrowed, loaned	Loaned out
grabbed	동사	붙잡았다	Grasped, seized	Released, let go
dragged	동사	끌었다	Pulled, hauled	Let go, dropped
hurriedly	부사	서두르듯이	In a hurry, hastily	Leisurely
inspired	형용사	영감을 받은	Motivated, influenced	Uninspired, demotivated
in person	부사	직접 참석하여	In the flesh, personally	Remotely, from a distance
communicated	동사	소통했다	Interacted, conveyed	Avoided communication
isolation	명사	고립	Solitude, seclusion	Socializing, connection
loneliness	명사	고독	Aloneness, isolation	Companionship
eagerly	부사	열심히	Keenly, eagerly	Indifferently, lethargically

Walking out of Charing Cross Station in London, Emilia and her traveling companion, Layla, already felt their hearts pounding. It was the second day of their European summer trip. They were about to visit one of the world's most famous art galleries. The two of them started hurrying with excitement. Suddenly, Emilia shouted, "Look! There it is! We're finally at the National Gallery!" Layla laughed and responded, "Your dream's finally come true!"

Upon entering the National Gallery, Emilia knew exactly where to go first. She grabbed Layla's hand and dragged her hurriedly to find van Gogh's Sunflowers. It was Emilia's favorite painting and had inspired her to become a painter. Emilia loved his use of bright colors and light. She couldn't wait to finally see his masterpiece in person. "It'll be amazing to see how he communicated the feelings of isolation and loneliness in his work," she said eagerly.

However, after searching all the exhibition rooms, Emilia and Layla couldn't find van Gogh's masterpiece anywhere. "That's weird. Van Gogh's Sunflowers should be here. Where is it?" Emilia looked upset, but Layla kept calm and said, "Maybe you've missed a notice about it. Check the National Gallery app." Emilia checked it quickly. Then, she sighed, "Sunflowers isn't here! It's been lent to a different gallery for a special exhibition. I can't believe I didn't check!"

"Don't lose hope yet! Which gallery is the special exhibition at?" Layla asked. Emilia responded, "Well, his Sunflowers is still in England, but it's at a gallery in Liverpool. That's a long way, isn't it?" After a quick search on her phone, Layla stated, "No! It's only two hours to Liverpool by train. The next train leaves in an hour. Why don't we take it?" After considering the idea, Emilia, now relieved, responded, "Yeah, but you always wanted to see Rembrandt's paintings. Let's do that first, Layla! Then, after lunch, we can catch the next train." Layla smiled brightly.

런던의 채링 크로스 역을 나오는 길에, 에밀리아와 여행 동반자 레이라는 이미 가슴이 두근거렸다. 그들은 유럽 여름 여행의 둘째 날이었다. 그들은 세계적으로 유명한 미술 갤러리 중 하나를 방문하려고 했다. 두 사람은 설레임 속에 서둘러 움직였다. 갑자기 에밀리아가 외쳤다. "봐봐! 거기 있어! 우리가 드디어 국립 갤러리에 도착했어!" 레이라는 웃으며 대답했다. "네 꿈이 드디어 이뤄졌어!"

국립 갤러리에 들어서자마자, 에밀리아는 정확히 어디로 가야 할지 알았다. 그녀는 레이라의 손을 잡고 서둘러 빈센트 반 고흐의 해바라기를 찾으러 갔다. 그것은 에밀리아가 가장 좋아하는 그림이었고, 그것은 그녀가 화가가 되도록 영감을 준 것이었다. 에밀리아는 반 고흐가 밝은 색과 빛을 사용한 것을 좋아했다. 그녀는 그의 걸작을 드디어 직접 보게 될 때를 기다릴 수 없었다. 그녀는 신나게 말했다. "그의 작품에서 고독과 외로움을 어떻게 표현했는지 보는 것이 놀랍겠어요."

그러나 전시실을 모두 찾아보고 나서도, 에밀리아와 레이라는 반 고흐의 걸작을 어디서도 찾을 수 없었다. "이상해. 반 고흐의 해바라기가 여기 있어야 해. 어디 있나?" 에밀리아가 우울해 보였지만, 레이라는 침착하게 말했다. "혹시 알림을 놓치지는 않았는지 확인해봐. 국립 갤러리 앱을 확인해봐." 에밀리아는 빠르게 확인했다. 그런 다음, 그녀는 한숨을 내쉬며 말했다. "해바라기는 여기 없어! 다른 갤러리에 특별전용으로 대출됐어. 확인하지 않아서 믿을 수 없어!"

"아직 희망을 잃지 마! 특별전은 어느 갤러리에서 열려?" 레이라가 물었다. 에밀리아는 대답했다. "반 고흐의 해바라기는 아직 영국에 있는데, 리버풀의 한 갤러리에 있어. 그것은 멀리 있는 곳이야, 그렇지 않니?" 전화로 빠르게 검색한 후, 레이라가 말했다. "아니야! 기차로 리버풀까지 두 시간밖에 안 걸려. 다음 기차는 한 시간 후에 떠. 왜 우리가 타지 않을래?" 이제 안도한 에밀리아가 대답했다. "그래, 그치만 너는 렘브란트의 그림을 보고 싶어했잖아. 레이라! 그럼, 점심 먹은 후에 다음 기차를 탈까?" 레이라는 밝게 웃었다.

시간이 소중한

당신을 위한

2023년 수능

수능의, 수능에 의한, 수능만을 위한
194개의 단어

2024년을 지나 2023년으로
수능영단어 마라톤 이제부터 진짜에요!

2023년 수능 3교시 영어영역
오답률이 가장 높은 15개 문제의 분석

[오답률 높은 순]

오답률 80%이상	오답률 60%이상	20% 이상이 선택	40% 이상이 선택

2023년									
수능									
순위	문항 변호	오답률	배점	정답	선택지별 비율				
					①	②	③	④	⑤
1	34	83	3	5	22	26.6	18.8	15.6	17
2	29	71.7	2	2	8.6	28.3	22.3	15.2	25.6
3	37	70.9	3	4	1.9	15.9	13.6	29.1	39.5
4	31	60.8	2	2	32.6	39.2	9.7	11.1	7.5
5	33	60.3	3	1	39.7	26.3	16.4	10.6	6.9
6	38	57.8	2	5	4.2	6.7	9.6	37.3	42.2
7	41	56.5	2	1	43.5	9.3	11.5	22.1	13.5
8	30	53.9	3	5	6.1	11.7	13.5	22.6	46.1
9	39	50.4	3	4	2.3	8.3	16.7	49.6	23.1
10	42	49.5	2	4	3.3	6.6	33.8	50.5	5.9
11	36	47.4	2	2	2.4	52.6	10.5	12.6	21.9
12	23	46.8	3	2	8.7	53.2	12.3	8.3	17.5
13	21	45.2	3	1	54.8	18.1	6.5	11.9	8.6
14	32	44.9	2	2	21.1	55.1	9.7	9.8	4.3
15	24	37.5	2	5	7.3	14.5	9	6.7	62.5

[문제 순서 순]

2023년									
수능									
순위	문항 변호	오답률	배점	정답	선택지별 비율				
					①	②	③	④	⑤
13	21	45.2	3	1	54.8	18.1	6.5	11.9	8.6
12	23	46.8	3	2	8.7	53.2	12.3	8.3	17.5
15	24	37.5	2	5	7.3	14.5	9	6.7	62.5
2	29	71.7	2	2	8.6	28.3	22.3	15.2	25.6
8	30	53.9	3	5	6.1	11.7	13.5	22.6	46.1
4	31	60.8	2	2	32.6	39.2	9.7	11.1	7.5
14	32	44.9	2	2	21.1	55.1	9.7	9.8	4.3
5	33	60.3	3	1	39.7	26.3	16.4	10.6	6.9
1	34	83	3	5	22	26.6	18.8	15.6	17
11	36	47.4	2	2	2.4	52.6	10.5	12.6	21.9
3	37	70.9	3	4	1.9	15.9	13.6	29.1	39.5
6	38	57.8	2	5	4.2	6.7	9.6	37.3	42.2
9	39	50.4	3	4	2.3	8.3	16.7	49.6	23.1
7	41	56.5	2	1	43.5	9.3	11.5	22.1	13.5
10	42	49.5	2	4	3.3	6.6	33.8	50.5	5.9

2023년 수능은 밸런스가 아주 좋은 시험이었습니다. 여기서 밸런스라고 하는 것은 변별력이 좋다라는 뜻입니다. 1등급 실력을 가진 학생들이 열심히 준비해서 시험을 치렀다면 무리없이 1등급을 받을 수 있었습니다. 34번 문제의 경우 정답률이 17%밖에 되지 않아서 이 문제를 맞춘 1등급 학생들은 많지 않을 것입니다. 오히려 1등급 학생들은 정답이 5번 대신 1번 혹은 2번을 찍었을 확률이 많습니다. 사실 저도 33, 34번의 경우 해석이 힘들면 1번 혹은 2번을 찍으라고 합니다. 전통적으로 정답률이 가장 높기 때문입니다. 그런데 이번에는 해석이 힘들었을 뿐 아니라 애매모호한 선택지들이 많아서 힘들었을 것입니다. 그렇다 하더라도 정답률이 30%대인 문제는 4개밖에 되지 않습니다. 34번 문제에서 틀리고 나머지 4개 중 1개만 맞아도 1등급을 받을 수 있었습니다.

2등급의 중상위권 학생들에게도 아주 적절한 시험이었습니다. 정답률 30%대의 문제들을 다틀리고 3~4개정도 실수를 해도 2등급을 받을 수 있는 무난한 시험이었습니다. 때문에 자신의 실력 수준을 알고 제대로 기본기를 다졌다면 2등급대의 학생들이 2등급이라는 성적을 받는 것은 어렵지 않았을 것입니다.

마지막으로 3등급 및 중하위권 학생들에게는 물수능이었습니다. 앞서 말했던 5개의 문제는 찍어서 1개를 맞추고 그 다음 10개를 틀린다 하더라도 3등급을 맞을 수 있었습니다. 오히려 3등급과 그 밑에 있는 등급들과의 구분이 잘 되지 않은 수능이었습니다. 하지만 3등급 밑으로는 인서울 혹은 중상위권 대학을 가는 것이 힘들기 때문에 의미가 없습니다. 여기를 구별하는 문제들은 사실상 별 의미가 없는 변별력입니다. 심지어 오답률이 15번째로 높은 문제의 경우 정답률이 63%나 됩니다. 다른 말로 하자면 63% 이상이 3등급을 맞을 수 있을 정도로 쉬운 시험이었다고 보면 됩니다. 조건이 있습니다. 기본기가 탄탄한 학생들이었을 경우입니다. 단어력과 문해력이 탄탄해야지 가능한 이야기입니다.

여기까지 읽으신 분들은 이미 수능 영어단어가 무엇인지 아는 분들일 것입니다. 6개의 시험지를 거치면서 평가원이 좋아하는 단어들을 익혔기 때문입니다. 특히 유의어와 반의어, 이것을 놓치면 안됩니다. 3등급과 2등급을 가르는 주요 핵심은 이 유의어와 반의어에 있기 때문입니다. 단어 기본기는 이제 거의 끝을 향해 달려가고 있습니다. 학생분들 힘내시기 바랍니다. 파이팅!

영어표현	품사	뜻	유의어	반의어
whom it may concern	전치사	당사자에게	-	To a specific person
identifying	형용사	식별하는	Recognizing, pinpointing	Overlooking, neglecting
happened to read	동사	우연히 읽다	Accidentally came across	Purposefully read
find out	동사	알아내다	Discover	Remain unaware
community	명사	공동체	Society, group	Isolation, individuality
passionate	형용사	열정적인	Enthusiastic, zealous	Apathetic, indifferent
annually	부사	매년, 연례적으로	Yearly, yearly basis	Irregularly, irregular basis
go birding	동사	조류 관찰하러 가다	Engage in bird watching	Avoid bird watching
appears to be	표현	~인 것 같다	Seems to be, appears as if	Doesn't seem to be
under construction	표현	공사 중	Under development, being built	Completed, finished
except for	표현	제외하고	Apart from, excluding	Including, with
sign up for	동사	가입하다	Enroll in, subscribe to	Opt out of, avoid
look forward to	동사	기대하다	Anticipate, await eagerly	Dread
영어표현	품사	뜻	유의어	반의어
whom it may concern	전치사	당사자에게	Recognizing, pinpointing	Overlooking, neglecting

2023년 18번 문제

To whom it may concern, My name is Michael Brown. I have been a bird-watcher since childhood. I have always enjoyed watching birds in my yard and identifying them by sight and sound. Yesterday, I happened to read an article about your club. I was surprised and excited to find out about a community of passionate bird-watchers who travel annually to go birding. I would love to join your club, but your website appears to be under construction. I could not find any information except for this contact email address. I would like to know how to sign up for the club. I look forward to your reply. Sincerely, Michael Brown

관련자분께, 저의 이름은 마이클 브라운입니다. 저는 어릴 적부터 조류 관찰가였습니다. 항상 집 앞 정원에서 새들을 관찰하고 그들을 시각과 소리로 식별하는 것을 즐겼습니다. 어제, 우연히 귀하의 클럽에 관한 기사를 읽게 되었습니다. 매년 새 관찰을 위해 여행하는 열정적인 새 관찰가들의 공동체에 대해 알게 돼서 놀랐고 흥분했습니다. 귀하의 클럽에 가입하고 싶습니다만, 귀하의 웹사이트는 현재 개설 중인 것으로 나타납니다. 이 연락 이메일 주소 외에는 정보를 찾을 수 없었습니다. 클럽 가입 방법에 대해 알고 싶습니다. 회신을 기다리겠습니다. 진심으로, 마이클 브라운

영어표현	품사	뜻	유의어	반의어
put her energy into A	동사	A에 집중하다	Put effort into A	Diverted her energy from A
failed to beat	동사	이기지 못하다	Fell short of winning	Succeeded in beating
all for nothing	명사	모든 것이 무용지물	In vain, without success	fruitful
recognizing	동사	인식하다	Acknowledging, realizing	Overlooking, disregarding
failure	명사	실패	Setback, non-success	Success, triumph
approached	동사	접근하다	Came near, neared	Retreated, distanced
set a personal best time	동사	최고기록 세우다	Achieved a personal record time	Failed to set a personal best time
performances	명사	공연	Achievements, showings	Non-performances, lack of achievement
improved	형용사	개선된	Enhanced	Deteriorated
dramatically	부사	급격하게	Considerably, significantly	Slightly, minimally
progressed	형용사	진보한	Advanced, made strides	Regressed, declined
definitely	부사	확실히	Certainly, without a doubt	Uncertainly, doubtfully
confident	형용사	자신감 있는	self-assured	Doubtful, uncertain
motivated	형용사	동기 부여된	Energized, driven	Demotivated, uninspired
for sure	부사	확실히	Certainly, without a doubt	Uncertainly, doubtfully

Putting all of her energy into her last steps of the running race, Jamie crossed the finish line. To her disappointment, she had failed to beat her personal best time, again. Jamie had pushed herself for months to finally break her record, but it was all for nothing. Recognizing how she felt about her failure, Ken, her teammate, approached her and said, "Jamie, even though you didn't set a personal best time today, your performances have improved dramatically. Your running skills have progressed so much! You'll definitely break your personal best time in the next race!" After hearing his comments, she felt confident about herself. Jamie, now motivated to keep pushing for her goal, replied with a smile. "You're right! Next race, I'll beat my best time for sure!"

모든 에너지를 끝까지 집중하여 달려왔던 제이미는 결승선을 통과했습니다. 실망스러운 점은 개인 최고 기록을 또 한번 깰 수 없었습니다. 제이미는 몇 달 동안 자신을 끌어올리고 결국에는 기록을 깨려고 노력했지만, 모든 것이 무의미했습니다. 그녀의 실패에 대한 그녀의 감정을 인식한 그녀의 팀원인 켄이 다가와 말했습니다. "제이미, 오늘 개인 최고 기록을 세우지 못했지만, 당신의 성적은 크게 향상되었습니다. 당신의 러닝 스킬이 많이 발전했어요! 다음 경기에서 분명히 개인 최고 기록을 깰 거에요!" 그의 말을 듣고 나서, 그녀는 자신감을 느꼈습니다. 이제 목표를 계속 추구하도록 동기부여받은 제이미는 미소를 지으며 대답했습니다. "맞아요! 다음 경기에서 분명히 최고 기록을 갱신할 거에요!"

영어표현	품사	뜻	유의어	반의어
journey	명사	여정, 여행	Voyage, expedition	Stagnation, standstill
encounter	동사	맞닥뜨리다	Experience, come across	Avoid, evade
functions	명사	기능	Operations, functionalities	Malfunctions, breakdowns
leading into the distance	표현	멀리로 이어지는	Stretching into the distance	Limited, confined
uncertainty	명사	불확실성	Doubt, lack of certainty	Certainty, assurance
destination	명사	목적지	Final point, endpoint	Starting point, origin
intuition	명사	직관, 직감	Instinct, insight	Uncertainty, doubt
ends up with	동사	~로 끝나다	Concludes with, results in	Starts with, begins with
suboptimal choice	명사	차선책	Less than optimal choice	Optimal choice, best decision
Turning A into B	표현	A를 B로 바꾸는	Transforming A into B	Maintaining A as it is
proved	동사	입증하다	Confirmed, demonstrated	Disproved, invalidated
a potent way	명사	강력한 방법	powerful approach	Ineffective method
shortcut	명사	지름길	quick route	Long route, detour
mathematical	형용사	수학적인	numerical	non-numerical
probability	명사	확률	Likelihood, chances	Improbability, unlikelihood
eliminated	형용사	제거된	Removed, taken out	Included, retained
manage	동사	관리하다	Handle, control	Lose control, mishandle
effectively	부사	효과적으로	Efficiently, productively	Ineffectively, inefficiently
scenarios	명사	시나리오	Possible situations	Improbable scenarios
proportion	명사	비율, 비례	Ratio, relationship	Disproportion, imbalance
base your decisions	동사	결정을 바탕으로	-	-

At every step in our journey through life we encounter junctions with many different pathways leading into the distance. Each choice involves uncertainty about which path will get you to your destination. Trusting our intuition to make the choice often ends up with us making a suboptimal choice. Turning the uncertainty into numbers has proved a potent way of analyzing the paths and finding the shortcut to your destination. The mathematical theory of probability hasn't eliminated risk, but it allows us to manage that risk more effectively. The strategy is to analyze all the possible scenarios that the future holds and then to see what proportion of them lead to success or failure. This gives you a much better map of the future on which to base your decisions about which path to choose.

우리 삶의 여정에서 매 단계마다 우리는 먼 곳으로 이어지는 다양한 길이 있는 교차로를 만납니다. 각 선택은 목적지에 도달할 수 있는 어떤 경로를 따라야 할지에 대한 불확실성을 동반합니다. 우리의 직관을 믿고 선택하는 것은 종종 우리가 부적절한 선택을 하게 될 때로 끝납니다. 불확실성을 숫자로 변환하는 것은 경로를 분석하고 목적지로 가는 단축키를 찾는 강력한 방법으로 입증되었습니다. 확률의 수학적 이론은 위험을 제거하지는 않았지만, 그 위험을 효과적으로 관리할 수 있도록 해줍니다. 전략은 미래에 가능한 시나리오를 모두 분석한 다음 그 중 몇 개가 성공이나 실패로 이어지는지를 확인하는 것입니다. 이렇게 하면 어떤 길을 선택할지에 대한 결정을 내리는 데 더 나은 미래 지도를 얻을 수 있습니다.

영어표현	품사	뜻	유의어	반의어
urban	형용사	도시의	City	Rural
vehicles	명사	차량	Automobiles, cars	Pedestrians
adapted to	형용사	적응한	Adjusted to, tailored for	Ill-suited for, not adjusted to
density	명사	밀도	Population density	Sparse population
distribution	명사	분포	Arrangement, allocation	Dispersion, scattering
involves	동사	포함하다	Encompasses, includes	Excludes, omits
tha latter	명사	후자	The second of two	The former
preferred	형용사	선호되는	Favored, chosen	Disfavored, disliked
particularly	부사	특히	Especially	Generally
congested areas	형용사	혼잡한 지역	Busy locations, crowded areas	Sparsely populated areas
personal cargo	명사	개인적인 화물	Personal belongings	Public cargo
acquisition	명사	획득	Acquiring, obtaining	Selling, divesting
maintenance costs	명사	유지 보수 비용	maintenance expenditures	Initial costs
convey	동사	전달하다	Transfer, carry	Withhold, hold back
alike	형용사	비슷한	Similar, alike	Different, dissimilar
assisted	동사	지원된	Aided, supported	Unassisted, unaided
implemented	형용사	실행된	Executed, put into action	Abandoned, left undone
gradually	부사	점차적으로	slowly	Abruptly, suddenly
adopted	형용사	채택된	Taken on, embraced	Abandoned, discarded
parcel	명사	소포, 물품	Package, bundle	Letter, package
catering	명사	음식 제공	Providing food, supplying meals	Self-catering, self-service
combined	동사	결합된	Merged, united	Separated, isolated
restrict	동사	제한하다	Constrain, limit	Facilitate, allow
access to	전치사	~에 대한 접근	Entrance to, approach to	Open access to
commercial	형용사	상업의	Business, trade-related	Non-commercial, non-business
extension	명사	확장	Expansion, elongation	Contraction, reduction
dedicated	형용사	특별한, 전용	Exclusive, specialized	Shared, common

Urban delivery vehicles can be adapted to better suit the density of urban distribution, which often involves smaller vehicles such as vans, including bicycles. The latter have the potential to become a preferred 'last-mile' vehicle, particularly in high-density and congested areas. In locations where bicycle use is high, such as the Netherlands, delivery bicycles are also used to carry personal cargo (e.g. groceries). Due to their low acquisition and maintenance costs, cargo bicycles convey much potential in developed and developing countries alike, such as the becak (a three-wheeled bicycle) in Indonesia. Services using electrically assisted delivery tricycles have been successfully implemented in France and are gradually being adopted across Europe for services as varied as parcel and catering deliveries. Using bicycles as cargo vehicles is particularly encouraged when combined with policies that restrict motor vehicle access to specific areas of a city, such as downtown or commercial districts, or with the extension of dedicated bike lanes

도시 배송 차량은 도시 유통의 밀도에 더 잘 맞도록 적응될 수 있습니다. 이는 주로 밴이나 자전거와 같은 더 작은 차량을 포함합니다. 후자는 특히 고밀도와 혼잡한 지역에서 선호되는 '마지막 구간' 차량이 될 수 있습니다. 네덜란드와 같이 자전거 이용이 높은 지역에서는 배송 자전거가 개인 화물(예: 식료품)을 운반하는 데도 사용됩니다. 저렴한 획득 및 유지 관리 비용으로 인해 화물 자전거는 개발된 국가뿐만 아니라 개발 중인 국가에서도 큰 잠재력을 가지고 있습니다. 인도네시아의 becak(세발 자전거)과 같이 전기 지원 배송 삼륜자전거를 사용한 서비스는 프랑스에서 성공적으로 시행되었으며, 소포 및 케이터링 배송과 같은 다양한 서비스에 점차 확대되고 있습니다. 자전거를 화물 차량으로 사용하는 것은 특히 도심이나 상업 지구와 같은 특정 지역에 대한 자동차 접근을 제한하는 정책이나 전용 자전거 도로의 확장과 결합할 때 특히 장려됩니다.

영어표현	품사	뜻	유의어	반의어
survey	명사	조사, 설문	research	Analysis, examination
preferred	형용사	선호되는	Favored, liked	Disliked, unpopular
exceeded	형용사	초과한	Surpassed, went beyond	Fell short of, didn't meet
영어표현	품사	뜻	유의어	반의어
survey	명사	조사, 설문		
preferred	형용사	선호되는		
exceeded	형용사	초과한		

2023년 25번 문제

The above graph shows the percentages of Americans' preferred type of place to live by age group, based on a 2020 survey. In each of the three age groups, Town/Rural Area was the most preferred type of place to live. In the 18-34 year-olds group, the percentage of those who preferred Big/Small City was higher than that of those who preferred Suburb of Big/Small City. In the 35-54 year-olds group, the percentage of those who preferred Suburb of Big/Small City exceeded that of those who preferred Big/Small City. In the 55 year-olds and older group, the percentage of those who chose Big/Small City among the three preferred types of place to live was the lowest. Each percentage of the three preferred types of place to live was higher than 20% across the three age groups.

상기 그래프는 2020년 조사를 기반으로 한 연령 그룹별 미국인들이 선호하는 거주지 유형의 백분율을 보여줍니다. 세 연령 그룹 중에서 모든 경우에 걸쳐 마을/시골 지역이 가장 선호하는 거주지 유형이었습니다. 18-34세 그룹에서, 대/소 도시를 선호하는 사람들의 백분율은 대/소 도시의 교외를 선호하는 사람들의 백분율보다 높았습니다. 35-54세 그룹에서, 대/소 도시를 선호하는 사람들의 백분율은 대/소 도시의 교외를 선호하는 사람들의 백분율을 초과했습니다. 55세 이상 그룹에서, 세 가지 선호하는 거주지 유형 중 대/소 도시를 선택한 사람들의 백분율이 가장 낮았습니다. 세 연령 그룹 전반에 걸쳐 세 가지 선호하는 거주지 유형의 백분율이 각각 20%보다 높았습니다.

영어표현	품사	뜻	유의어	반의어
renowned	형용사	유명한, 명성 있는	Famous, celebrated	Unknown, obscure
sociologist	명사	사회학자	Social scientist, scholar	Layman, non-expert
early in his career	표현	그의 경력 초기에	At the start of his career	Later in his career
was in charge of	동사	책임을 맡다	Was responsible for, led	Was not responsible for
reform	명사	개혁, 개선	Improvement, change	Status quo, stagnation
was influenced by	동사	영향을 받았다	Was affected by	Was not influenced by
researched	동사	연구하다	Investigated, studied	Neglected, ignored
variety	명사	다양성, 여러 가지	Diversity, assortment	Uniformity, sameness
are known to be difficult	동사	어렵다고 유명한	Are recognized to be challenging	Are known to be easy
in fact	부사	사실은	In reality, actually	In fiction, not true
translated into	형용사	번역되어	Rendered into, converted into	-
영어표현	품사	뜻	유의어	반의어
renowned	형용사	유명한, 명성 있는	Famous, celebrated	Unknown, obscure
sociologist	명사	사회학자	Social scientist, scholar	Layman, non-expert
early in his career	표현	그의 경력 초기에	At the start of his career	

2023년 26번 문제

Niklas Luhmann, a renowned sociologist of the twentieth century, was born in Lüneburg, Germany in 1927. After World War II, he studied law at the University of Freiburg until 1949. Early in his career, he worked for the State of Lower Saxony, where he was in charge of educational reform. In 1960—1961, Luhmann had the chance to study sociology at Harvard University, where he was influenced by Talcott Parsons, one of the most famous social system theorists. Later, Luhmann developed his own social system theory. In 1968, he became a professor of sociology at the University of Bielefeld. He researched a variety of subjects, including mass media and law. Although his books are known to be difficult to translate, they have in fact been widely translated into other languages.

20세기의 유명한 사회학자 니클라스 루만은 1927년 독일 뤼네부르크에서 태어났습니다. 제2차 세계대전 이후, 그는 1949년까지 프라이부르크 대학에서 법학을 공부했습니다. 그의 경력 초기에 그는 니더작센 주에서 교육 개혁을 담당하면서 일했습니다. 1960년에서 1961년 사이에 루만은 하버드 대학에서 사회학을 공부할 기회를 가졌는데, 거기서 그는 가장 유명한 사회체계 이론가 중 한 명인 탈코트 파슨스의 영향을 받았습니다. 후에 루만은 자신의 사회체계 이론을 개발하였습니다. 1968년, 그는 비렐펠트 대학에서 사회학 교수가 되었습니다. 그는 대중 매체와 법 등 다양한 주제를 연구했습니다. 비록 그의 책들이 번역하기 어렵다고 알려져 있지만, 실제로 그의 책들은 다른 언어로 널리 번역되었습니다.

영어표현	품사	뜻	유의어	반의어
renovation	명사	개조, 리노베이션	remodeling	Deterioration, decay
notice	명사	통지, 공고	Notification, announcement	unnoticed
continually	부사	계속해서	Persistently, constantly	Intermittently
improving	형용사	개선 중인	Enhancing, making better	Deteriorating, worsening
facilities	명사	시설	Amenities, infrastructure	deficiencies
resort	명사	리조트, 휴양지	Holiday destination	Ordinary location, regular spot
according to	전치사	~에 따르면	In accordance with	Contrary to, against
period	명사	기간, 시기	Time frame, duration	-
take place	동사	진행되다	Occur, happen	Cease, halt
indoor	형용사	실내	Interior	Outdoor
activities	명사	활동	Recreational pursuits	Inactivity
available	형용사	이용 가능한	Accessible, obtainable	Unavailable, inaccessible
as usual	부사	평소처럼	typically	Unusually, atypically
discount	명사	할인	Price reduction	Full price, regular cost
meals	명사	식사	dining	Fasting
for free	표현	무료로	At no cost, complimentary	For a fee, at a cost
minimize	동사	최소화하다	Reduce, decrease	Increase, escalate
noise	명사	소음	Sound, racket	Silence, quiet
inconvenience	명사	불편함	Disruption, disturbance	Comfort, ease
appreciate	동사	감사하게 여기다	Value, recognize	Disregard, ignore
영어표현	품사	뜻	유의어	반의어
		통지, 공고		

Renovation Notice

At the Natural Jade Resort, we are continually improving our facilities to better serve our guests. Therefore, we will be renovating some areas of the resort, according to the schedule below.

Renovation Period: November 21 to December 18, 2022
- Renovations will take place every day from 9:00 a.m. to 5:00 p.m.

Areas to be Closed: Gym and indoor swimming pool

Further Information
- All outdoor leisure activities will be available as usual.
- Guests will receive a 15% discount for all meals in the restaurant.
- Guests may use the tennis courts for free.

We will take all possible measures to minimize noise and any other inconvenience. We sincerely appreciate your understanding.

리모델링 안내 내츄럴 제이드 리조트에서는 계속해서 고객님들을 더 잘 모시기 위해 시설을 개선하고 있습니다. 따라서 아래 일정에 따라 리조트 일부 영역을 리모델링할 예정입니다. 리모델링 기간: 2022 년 11 월 21 일부터 12 월 18 일까지 · 리모델링은 매일 오전 9:00 부터 오후 5:00 까지 진행될 예정입니다. 폐쇄될 영역: 피트니스 센터 및 실내 수영장 추가 정보 · 모든 야외 레저 활동은 계속해서 이용 가능합니다. · 식당에서 제공하는 모든 식사에 대해 15% 할인 혜택이 제공됩니다. · 테니스 코트를 무료로 이용하실 수 있습니다. 소음 및 기타 불편을 최소화하기 위해 모든 노력을 기울일 것이며, 고객님들의 너그러운 양해에 깊은 감사를 드립니다.

영어표현	품사	뜻	유의어	반의어
contest	명사	대회, 경연대회	Competition, tournament	Non-competition
show off	동사	자랑하다, 과시하다	Display, flaunt	Conceal, hide
artistic	형용사	예술적인	Aesthetic, creative	mundane
talent	명사	재능	Skill, gift	Ineptitude, lack of talent
participation	명사	참여	Participation, involvement	absence
submission	명사	제출물, 제출	Entry, contribution	Withholding, retention
judging criteria	명사	심사 기준	judging standards	Non-evaluative criteria
creativity	명사	창의성	Inventiveness, originality	Lack of creativity, unimaginative
are limited to	동사	제한되어 있다	Restricted to, confined to	Unrestricted, open to all
announced	형용사	공고된, 발표된	Declared, revealed	Concealed, kept secret

2022 Valestown Recycles Poster Contest

Join this year's Valestown Recycles Poster Contest and show off your artistic talent!

Guidelines
- Participation is only for high school students in Valestown.
- Participants should use the theme of "Recycling for the Future."

Submission Format
- File type: PDF only
- Maximum file size: 40MB

Judging Criteria
- Use of theme   - Creativity   - Artistic skill

Details
- Submissions are limited to one poster per person.
- Submissions should be uploaded to the website by 6 p.m., December 19.
- Winners will be announced on the website on December 28.

For more information, please visit www.vtco.org.

2022 베일스타운 재활용 포스터 공모전

올해의 베일스타운 재활용 포스터 공모전에 참여하여 여러분의 예술적 재능을 선보이세요!

지침

□ 참여 대상은 베일스타운의 고등학생들에게만 해당합니다.

□ 참가자들은 "미래를 위한 재활용" 주제를 사용해야 합니다.

제출 형식

□ 파일 유형: PDF 만

□ 최대 파일 크기: 40MB

심사 기준

□ 주제 활용 □ 창의성 □ 예술적 기술

세부 사항

□ 제출은 개인당 한 개의 포스터로 제한됩니다.

□ 제출은 12 월 19 일 오후 6 시까지 웹사이트에 업로드되어야 합니다.

□ 수상자는 12 월 28 일에 웹사이트에서 발표됩니다.

더 많은 정보는 www.vtco.org 를 방문하여 확인하십시오.

영어표현	품사	뜻	유의어	반의어
countless	형용사	무수한	Numerous, countless	Limited, finite
a means	명사	수단, 방법	Method, approach	Obstacle, hindrance
decoding	명사	해독	Unraveling, interpretation	Encoding, encryption
develop	동사	개발하다	Build, create	Deteriorate, decline
confidently	부사	자신 있게	Confidently, assuredly	Uncertainly, hesitantly
instructions	명사	지시, 설명서	Guidance, directives	Ambiguity, vagueness
project	명사	프로젝트	Undertaking, endeavor	Undertaking, non-project
in order to	표현	~하기 위해서	With the purpose of, to	disregarding
address noise issues	동사	소음 문제 해결	Tackle noise-related problems	Ignore noise issues
serious	형용사	심각한	Grave, severe	Insignificant, minor
solution	명사	해결책	Resolution, answer	Problem, trouble
advise	동사	조언하다	Counsel, recommend	Discourage, discourage against
incredibly	부사	놀랍게도	Remarkably, exceedingly	Ordinarily, typically
sparingly	부사	아껴서, 절약하여	Economically, frugally	Extravagantly, lavishly
avoid	동사	피하다	Steer clear of, evade	Seek, pursue
authoritative	형용사	권위 있는	commanding	Insubstantial, unimportant
impact	명사	영향	Influence, effect	Negligible impact
slightly	부사	조금, 약간	marginally	Significantly, considerably
panicked	형용사	당황한	Anxious, distressed	Composed, composedly

Actors, singers, politicians and countless others recognise the power of the human voice as a means of communication beyond the simple decoding of the words that are used. Learning to control your voice and use it for different purposes is, therefore, one of the most important skills to develop as an early career teacher. The more confidently you give instructions, the higher the chance of a positive class response. There are times when being able to project your voice loudly will be very useful when working in school, and knowing that you can cut through a noisy classroom, dinner hall or playground is a great skill to have. In order to address serious noise issues in school, students, parents and teachers should search for a solution together. However, I would always advise that you use your loudest voice incredibly sparingly and avoid shouting as much as possible. A quiet, authoritative and measured tone has so much more impact than slightly panicked shouting.

배우, 가수, 정치인 및 무수한 다른 사람들은 인간의 목소리의 힘을 단순히 사용된 단어를 해독하는 이상의 의사 소통 수단으로 인식합니다. 따라서 목소리를 통제하고 다양한 목적으로 사용하는 것을 배우는 것은 초보 교사로서 개발해야 할 가장 중요한 기술 중 하나입니다. 지시를 자신있게 내릴수록 수업 반응이 긍정적일 가능성이 높습니다. 학교에서 작업할 때 목소리를 크게 내는 것이 매우 유용한 경우가 있으며, 시끄러운 교실, 식당 또는 놀이터에서 목소리가 들리는 것을 알고 있다는 것은 큰 장점입니다. 학교에서 심각한 소음 문제에 대응하기 위해 학생, 부모 및 교사는 함께 해결책을 찾아야 합니다. 그러나 항상 최대한 소리 크기를 제한하고 최대한 소리를 내는 것을 피하도록 권장합니다. 조용하고 권위 있는 분위기와 측정된 어조는 약간의 공포에 떠는 소리보다 훨씬 더 큰 영향을 미칩니다.

영어표현	품사	뜻	유의어	반의어
craftsmanship	명사	솜씨, 숙련	Skill, artistry	Incompetence, unskillfulness
declined	형용사	쇠퇴된, 감소된	Deteriorated, decreased	Improved, increased
misleading	형용사	잘못된, 오도하는	Deceptive, false	Accurate, truthful
enduring	형용사	지속적인, 영속하는	lasting	Fleeting, momentary
impulse	명사	충동, 열망	Urge, compulsion	Restraint, inhibition
desire	명사	열망, 욕망	Longing, wish	Aversion, aversion
for its own sake	표현	그 자체를 위해서	intrinsically	altruistically
manual labor	명사	체력 노동	Manual work, physical labor	Automated/mechanized labor
parenting	명사	육아	Child-rearing, nurturing	Child neglect, neglecting
objective standards	명사	객관적인 기준	Objective/measurable standards	Subjective criteria
stand in	동사	자리하다, 서다	Take a position, be in place	Vacate, leave
discipline	명사	규율, 훈련	Control, regimentation	Disorder, chaos
commitment	명사	헌신, 전념	Devotion, dedication	Neglect, disregard
aspiration	명사	열망, 포부	Ambition, goal	indifference
conflicting	형용사	충돌하는	Contradictory, clashing	Harmonious
objective standards	명사	객관적인 기준	Measurable standards	subjective standards
excellence	명사	뛰어남, 탁월함	Exceptionalism, superiority	Mediocrity, inadequacy
weakened	형용사	약화된	Diminished, lessened	Strengthened, fortified
competitve pressure	명사	경쟁 압력	Competitive stress, pressure	Collaborative support
frustration	명사	좌절, 좌성	Disappointment, letdown	Contentment, satisfaction
obsession	명사	집착, 강박	Fixation, preoccupation	Indifference, apathy
persisted	동사	계속되다	Persisted, continued	Ceased, stopped
encounters	명사	마주치다	Confrontations, meetings	Avoidance, evasions
cultivate	동사	기르다	Cultivate, nurture	Neglect, abandon
accelerate	동사	가속화하다	Speed up, expedite	Slow down, decelerate

"Craftsmanship" may suggest a way of life that declined with the arrival of industrial society — but this is misleading. Craftsmanship names an enduring, basic human impulse, the desire to do a job well for its own sake. Craftsmanship cuts a far wider swath than skilled manual labor; it serves the computer programmer, the doctor, and the artist; parenting improves when it is practiced as a skilled craft, as does citizenship. In all these domains, craftsmanship focuses on objective standards, on the thing in itself. Social and economic conditions, however, often stand in the way of the craftsman's discipline and commitment: schools may fail to provide the tools to do good work, and workplaces may not truly value the aspiration for quality. And though craftsmanship can reward an individual with a sense of pride in work, this reward is not simple. The craftsman often faces conflicting objective standards of excellence; the desire to do something well for its own sake can be weakened by competitive pressure, by frustration, or by obsession.

"공예"는 산업 사회의 도래로 감소한 삶의 방식을 시사할 수 있지만, 이는 오해입니다. 공예는 지속적이고 기본적인 인간적 충동으로, 작업을 그 자체만으로 잘하려는 욕망을 지칭합니다. 공예는 숙련된 물리적 노동보다 훨씬 더 넓은 범위로 확장되며, 컴퓨터 프로그래머, 의사 및 예술가에게도 역할을 합니다. 부모가 숙련된 공예로 행해질 때 양육력이 향상되고 시민권도 개선됩니다. 모든 이러한 영역에서 공예는 객관적인 기준, 사물 그 자체에 집중합니다. 그러나 사회적, 경제적 조건은 종종 장인의 훈련과 헌신을 방해합니다. 학교는 좋은 작업을 수행하기 위한 도구를 제공하지 못할 수 있고, 직장은 질에 대한 열망을 실제로 가치있게 여기지 않을 수 있습니다. 그리고 공예는 개인에게 작업에 대한 자부심을 줄 수 있지만, 이 보상은 단순하지 않습니다. 장인은 종종 충돌하는 객관적인 품질 기준에 직면하며, 작업을 그 자체만으로 잘 하려는 욕망은 경쟁 압력, 좌절 또는 집착으로 인해 약화될 수 있습니다.

영어표현	품사	뜻	유의어	반의어
yelled	동사	고함치다	Shouted, screamed	Spoke softly, whispered
uneasily	부사	불안하게	Anxiously, nervously	Calmly, composedly
relaced	동사	다시 묶다, 풀다	Fastened again, untied	Loosened, let go
placed A on B	동사	A를 B 위에 놓다	-	Removed A from B
find out	동사	알아내다	Discover, learn	Conceal, hide
correct	동사	고치다, 바로잡다	Rectify, amend	Deform, deform
blindness	명사	맹인	Sightlessness, inability to see	Sightedness, ability to see
stared at	형용사	응시하다	Gazed at, stared at	Looked away, averted eyes
vivid	형용사	생생한	Colorful, lively	Dull, muted
incredible	부사	믿기지 않는	Unbelievable, extraordinary	Believable, credible
in amazement	표현	놀라움 속에서	In astonishment, amazed	Expectedly, predictably
represents	동사	나타내다	Symbolizes, stands for	Misrepresents, distorts
deserve	동사	자격이 있다	Be worthy of, merit	Do not deserve
nodded	동사	끄덕이다	Agreed with a nod	Shook head in disagreement
handed someone something	동사	누군가에게 무언가를 주다	Gave someone something	Received from someone
parcel	명사	소포, 물품	Package, bundle	Unwrapping, unpacking
eyesight	명사	시력	Vision, eyesight	Blindness, visual impairment
puzzled	형용사	헷갈리는	Confused, perplexed	Clear, certain
suffering	형용사	고통을 받는	Undergoing, enduring	Thriving, flourishing
so as not to worry	표현	걱정하지 않기 위해	-	To avoid causing concern
bet	동사	내기하다	gambled	-
in reply	표현	대답으로	In response, as a reply	In silence, without a reply
by the way	부사	그런데	Incidentally, by the way	On purpose, deliberately
interrupted	동사	가로막다	Stopped abruptly, cut off	Continued, proceeded
doorbell	명사	종소리	Door chime, door signal	Silent, soundless
overjoyed	형용사	매우 기뻐하는	Ecstatic, elated	Disappointed, disheartened
inviting	형용사	초대하는	Welcoming, inviting	Discouraging, dissuading
hugging	형용사	껴안는	Embracing	Avoided, shunned
was greeted	동사	환영받은	Received a warm welcome	Met with disapproval

"Hailey, be careful!" Camila yelled uneasily, watching her sister carrying a huge cake to the table. "Don't worry, Camila," Hailey responded, smiling. Camila relaxed only when Hailey had safely placed the cake on the party table. "Dad will be here shortly. What gift did you buy for his birthday?" Camila asked out of interest. "Dad will be surprised to find out what it is!" Hailey answered with a wink.

"I bet you bought a wallet or a watch for him," Camila said. In reply, Hailey answered, "No. I bought something much more personal. By the way, there's something you should know about Dad..." They were suddenly interrupted by the doorbell ringing. It was their dad and they were overjoyed to see him. "My lovely ladies, thank you for inviting me to your place for my birthday." He walked in joyfully, hugging his daughters. They all walked into the dining room, where he was greeted with a rainbow-colored birthday cake and fifty red roses.

"Happy birthday! You're fifty today, Dad. We love you!" Camila said before her sister handed him a small parcel. When he opened it, he discovered a pair of glasses inside. "Hailey, Dad doesn't have eyesight problems," Camila said, puzzled. "Actually Camila, I recently found out he has long been suffering from color blindness. He's kept it a secret so as not to worry us," Hailey explained.

"Dad, these glasses can help correct your red-green color blindness," said Hailey. He slowly put them on, and stared at the birthday presents on the table. Seeing vivid red and green colors for the first time ever, he started to cry. "Incredible! Look at those wonderful colors!" He shouted in amazement. Hailey told him in tears, "Dad, I'm glad you can now finally enjoy the true beauty of rainbows and roses. Red represents love and green represents health. You deserve both." Camila nodded, seeing how happy her gift of the glasses had made their dad.

"헤일리, 조심해!" 카밀라가 불안해하며 소리쳤다. 그녀는 자신의 동생이 큰 케이크를 테이블로 옮기는 것을 지켜보고 있었다. "걱정 마, 카밀라," 헤일리가 웃으며 대답했다. 헤일리가 케이크를 파티 테이블 위에 안전하게 올려놓을 때까지 카밀라는 오직 그때만 안심했다. "아빠가 곧 올 거야. 아빠 생일에 어떤 선물을 샀니?" 카밀라가 흥미를 느끼며 물었다. "아빠가 놀랄 거야. 무슨 선물인지 알아?" 헤일리가 윙크를 하며 대답했다.

"내기 해볼게, 너가 지갑이나 시계를 샀을 거야," 카밀라가 말했다. 이에 헤일리가 대답했다. "아니야. 나는 훨씬 개인적인 것을 샀어. 그리고, 아빠에 대해 네가 알아야 할 게 있어..." 그들은 갑자기 문을 누가 누른 소리에 방해받았다. 아빠가 왔고 그들은 기쁨에 넘쳐 그를 보았다. "내 사랑스러운 딸들, 생일을 축하해줘서 고마워." 그는 기쁨에 넘치며 걸어들어와 딸들을 안았다. 그들은 모두 식탁으로 이동했고 거기서 그는 무지개색 생일 케이크와 50송이의 붉은 장미로 맞이했다.

"생일 축하해! 오늘 아빠는 50살이야. 우리 사랑해!" 카밀라가 말했고, 그녀의 동생이 작은 소포를 건네주기 전에. 그가 열어보자, 안에는 안경이 들어 있었다. "헤일리, 아빠 눈 건강이 나빠진 건 아니잖아," 카밀라가 당혹스러운 표정으로 말했다. "실은, 카밀라, 나는 최근에 그가 오랫동안 색맹을 앓고 있었다는 것을 알았어. 우리를 걱정시키지 않으려고 비밀로 해왔던 거야," 헤일리가 설명했다.

"아빠, 이 안경은 당신의 적녹색 색맹을 교정하는 데 도움이 될 거야," 헤일리가 말했다. 그는 천천히 그것들을 썼고, 테이블 위의 생일 선물을 바라보았다. 생애 처음으로 생생한 붉은색과 녹색을 보며, 그는 울음을 터뜨렸다. "믿을 수 없어! 이 멋진 색들을 봐!" 그는 놀라움에 소리쳤다. 헤일리가 눈물로 말했다. "아빠, 이제 당신은 드디어 무지개와 장미의 진정한 아름다움을 즐길 수 있게 됐어. 빨간색은 사랑을 나타내고, 녹색은 건강을 나타내니까요." 카밀라는 그녀가 아빠에게 준 안경 선물이 얼마나 행복하게 했는지 보았다.

시간이 소중한 당신을 위한

2022년 6월

수능의, 수능에 의한, 수능만을 위한
222개의 단어

2022년 여기까지 달려온 당신
수능을 잘 볼 자격이 있습니다!

2022년 6월 3교시 영어영역
오답률이 가장 높은 15개 문제의 분석

[오답률 높은 순]

오답률 80%이상	오답률 60%이상	20% 이상이 선택	40% 이상이 선택

2022년								
6월								
순위	문항 번호	오답률	■점	정답	선택지별 비율				
					①	②	③	④	⑤
1	31	78.5	2	3	17.2	22.2	21.5	22.1	14.7
2	36	77.3	2	1	22.7	17.8	13.7	24.4	19.2
3	37	71.7	3	5	4.9	32	20.5	12	28.3
4	39	69	3	5	4.3	10.7	21	30.8	31
5	34	68	3	4	17.8	22.5	17.1	32	8.3
6	33	66	3	2	15	34	13.8	16.8	18.3
7	42	63.6	3	2	6.2	36.4	13.8	27.9	13.4
8	38	61.7	2	2	5	38.3	21.1	22	11.3
9	32	58.7	2	2	16.2	41.3	17.4	14.1	8.7
10	40	57.2	2	3	18.3	11.8	42.8	16.9	8
11	21	56.5	3	2	8.5	43.5	11.4	21.6	13.2
12	29	56.3	2	5	11.5	10.3	15.1	17.3	43.7
13	30	52.6	2	4	5.9	7.3	25.5	47.4	11.7
14	23	52	3	4	11.7	21.4	8.1	48	8.8
15	24	49	2	1	51	12	9.7	10.8	14.5

[문제 순서 순]

2022년								
6월								
순위	문항 번호	오답률	■점	정답	선택지별 비율				
					①	②	③	④	⑤
11	21	56.5	3	2	8.5	43.5	11.4	21.6	13.2
14	23	52	3	4	11.7	21.4	8.1	48	8.8
15	24	49	2	1	51	12	9.7	10.8	14.5
12	29	56.3	2	5	11.5	10.3	15.1	17.3	43.7
13	30	52.6	2	4	5.9	7.3	25.5	47.4	11.7
1	31	78.5	2	3	17.2	22.2	21.5	22.1	14.7
9	32	58.7	2	2	16.2	41.3	17.4	14.1	8.7
6	33	66	3	2	15	34	13.8	16.8	18.3
5	34	68	3	4	17.8	22.5	17.1	32	8.3
2	36	77.3	2	1	22.7	17.8	13.7	24.4	19.2
3	37	71.7	3	5	4.9	32	20.5	12	28.3
8	38	61.7	2	2	5	38.3	21.1	22	11.3
4	39	69	3	5	4.3	10.7	21	30.8	31
10	40	57.2	2	3	18.3	11.8	42.8	16.9	8
7	42	63.6	3	2	6.2	36.4	13.8	27.9	13.4

2022 년 6 월의 난이도는 적절했습니다. 기존 1 등급 실력을 가진 학생들은 어렵지 않게 1등급을 받았을 것입니다. 정답률 20%대의 문제는 3개로 31. 36, 37 번이었고 30%대의 문제들은 5 개였습니다. 20%대의 문제를 다 틀린다고 해도 1 등급을 받을 수 있었고 나머지 상위권을 가르는 5 개의 문제에서 다 맞았을 경우 1 등급 방어가 수월했을 것입니다

2 등급의 중상위권 학생들 역시 엄청 어렵지 않았습니다 정답률 30%대의 문제는 총 8 개인데 이중 1~2 개만 맞아도 2 등급을 유지할 수 있는 수준이었습니다. 하지만 2 등급 중에서 기본기가 탄탄하지 않은 경우 3 등급으로 밀려났을 가능성이 높습니다. 왜냐하면 20%이상이 선택한 선택안이 오답률 상위 15 개중 10 개나 됩니다. 애매한 실력으로 2 등급을 유지했던 학생들은 3 등급을 받았을 것입니다.

3 등급과 그 밑에 중하위권 학생들 역시 이번 시험이 어렵지 않았습니다. 앞선 2024 년과 2023 년 수능과 모의고사를 풀었고 기본기를 쌓은 학생들이 2022 년 6 월로 연습을 했다면 자신이 생각했던 점수를 받았을 것입니다. 특히 난이도가 엄청나게 높거나 중하위권을 변별하겠다는 문항이 눈에 띄지 않습니다. 평가원이 중하위권 학생들에게 보내는 메시지는 남들이 다 맞추는 문제들에서 틀리지 말라는 것이었습니다.

여기까지 보신 분들이라면 이미 단어가 어느정도 쌓인 분들일 것입니다. 학생분들 쉽지 않다는 것을 알고 있습니다. 저자 역시 수능세대였고 정시 비중이 80%나 되었기 때문에 수능을 잘 보기 위해서 치열했던 사람입니다. 여러분들이 겪고 있는 치열함이 어느 정도인지 잘 알고 있습니다. 이제 진짜 얼마 남지 않았으니까 마지막까지 집중력 잃지 않으시기 바랍니다. 지금부터는 유의어와 반의어도 유심히 보셔야합니다. 왜냐면 수능에서 출제하는 단어는 지난 6 개의 모의고사와 수능시험지에서 익숙해졌을 것입니다. 그렇다면 이 단어들이 다른 단어들과 어떻게 상관관계를 가지고 있는지 파악하는 것이 다음입니다. 이 단어장은 여러분의 시간을 아끼기 위해서 만든 단어장입니다. 제가 여러분들에게 유의어와 반의어를 함께 제공하는데에는 분명한 이유가 있습니다. 여러분이 다음 단계로 도약할 때 엄청난 힘이 될 것입니다. 꼭 이점 명심해주세요. 이번 장도 파이팅!

영어표현	품사	뜻	유의어	반의어
current	형용사	현재의	Present, existing	Past, former
provides	동사	제공한다	Gives, supplies	Withholds, denies
as stated	관용구	언급된 대로	As mentioned, according to the information	Contrary to, differently from
be celebrating	동사구	축하 중이다	Is commemorating, is rejoicing	Is mourning, is lamenting
anniversary	명사	기념일, 주년	Celebration, commemoration	Regular day, non-anniversary
offer	동사/명사	제공하다	Provide, propose / Proposal, proposition	Refuse, decline
further	부사/ 형용사	더 멀리, 추가적으로	Additionally, furthermore / More distant, longer	Closer, nearer
include	동사	포함하다	Incorporate, encompass	Exclude, omit
admission	명사	입장	Entrance, entry	Exit, departure
merchandise	명사	상품	Goods, products	Services, intangibles
best regards	표현	존경의 인사	Sincerely, respectfully	Disrespectfully, insincerely

2022년 18번 문제

Dear Ms. Larson, I am writing to you with new information about your current membership. Last year, you signed up for our museum membership that provides special discounts. As stated in the last newsletter, this year we are happy to be celebrating our 50th anniversary. So we would like to offer you further benefits. These include free admission for up to ten people and 20% off museum merchandise on your next visit. You will also be invited to all new exhibition openings this year at discounted prices. We hope you enjoy these offers. For any questions, please feel free to contact us. Best regards, Stella Harrison

친애하는 라슨 여사,

당신의 현재 회원 정보에 관한 새로운 정보를 알려드리기 위해 편지를 쓰고 있습니다. 작년에 당신은 특별 할인 혜택을 제공하는 박물관 회원 자격에 가입하셨습니다. 지난 뉴스레터에서 언급했듯이, 올해는 당사의 50 주년을 기념하여 기쁨을 나누고 있습니다. 그래서 당사는 여러분께 더 많은 혜택을 제공하고자 합니다. 이에는 최대 열 명의 무료 입장과 다음 방문 시 박물관 상품 20% 할인이 포함됩니다. 또한 올해에는 새로운 전시 개막에 초대할 예정이며, 할인된 가격으로 참여하실 수 있습니다. 이러한 혜택들이 여러분에게 만족스러우시기를 바랍니다. 궁금한 사항이 있으시면 언제든지 연락 주시기 바랍니다.

최고의 인사를 전합니다,

스텔라 해리슨

영어표현	품사	뜻	유의어	반의어
was logging	동사	기록하다	Recording, documenting	-
counseling	명사	상담	Guidance, therapy	-
session	명사	세션, 회의	Meeting, gathering	-
wondered	동사	궁금해하다	Pondered, questioned	-
long drive away	부사구	멀리 떨어진 긴 드라이브	Distant long drive	-
helpful	형용사	도움이 되는	Beneficial, useful	Unhelpful
concerns	명사	걱정, 우려	Worries, anxieties	Comforts, reassurances
went away	동사구	사라지다	Disappeared, vanished	Came closer
actually	부사	실제로	Truly, in reality	Falsely, inaccurately
convenient	형용사	편리한	Handy, accessible	Inconvenient
than expected	부사구	예상보다	More than anticipated	Less than expected
definitely	부사	확실히	Certainly, undoubtedly	Possibly, uncertainly
doubtful	형용사	의심스러운	Uncertain, skeptical	Certain, convinced
satisfied	형용사	만족한	Content, pleased	Dissatisfied, unhappy
regretful	형용사	후회하는	Apologetic, remorseful	Unregretful, content
confused	형용사	혼란스러운	Baffled, puzzled	Clear, certain
confident	형용사	자신 있는	Assured, self-assured	Uncertain, insecure
ashamed	형용사	부끄러운	Embarrassed, remorseful	Proud, unashamed
bored	형용사	지루한	Uninterested, weary	Engaged, interested
excited	형용사	흥분한	Enthusiastic, thrilled	Calm, indifferent
thrilled	형용사	기뻐하는	Excited, delighted	Disappointed, unenthused
disappointed	형용사	실망한	Let down, disheartened	Satisfied, content

As Natalie was logging in to her first online counseling session, she wondered, "How can I open my heart to the counselor through a computer screen?" Since the counseling center was a long drive away, she knew that this would save her a lot of time. Natalie just wasn't sure if it would be as helpful as meeting her counselor in person. Once the session began, however, her concerns went away. She actually started thinking that it was much more convenient than expected. She felt as if the counselor were in the room with her. As the session closed, she told him with a smile, "I'll definitely see you online again!"

나탈리가 첫 온라인 상담 세션에 로그인하면서, 그녀는 "컴퓨터 화면을 통해 상담사에게 내 마음을 열 수 있을까?"라고 궁금해했습니다. 상담 센터가 멀리 떨어져 있어 시간을 많이 절약할 수 있다는 것을 알고 있었지만, 이게 실제로 직접 상담사를 만나는 것만큼 도움이 될지 잘 모르겠었습니다. 그러나 세션이 시작되자 그녀의 걱정은 사라졌습니다. 실제로 예상보다 훨씬 편리하다고 느끼기 시작했습니다. 그녀는 상담사가 방 안에 있는 것처럼 느꼈습니다. 세션이 끝나면서 그녀는 미소 짓으며 상담사에게 말했습니다. "저는 확실히 다시 온라인으로 만나겠습니다!"

영어표현	품사	뜻	유의어	반의어
such as	관계사구	예를 들어	For example, like	-
inspired	동사	영감을 받은	Motivated, influenced	Uninspired, unmotivated
developments	명사	발전, 개발	Progress, advancements	Stagnation, setbacks
aired	동사	방송되다	Broadcasted, televised	Unaired, unrevealed
critiqued	동사	비평한	Reviewed, analyzed	Praised, applauded
popular	형용사	인기 있는	Well-liked, fashionable	Unpopular, disliked
culture	명사	문화	Society, civilization	Barbarism, unculture
healthy	형용사	건강한	Well-being, robust	Unhealthy, sickly
process	명사	과정	Procedure, method	Halt, stop
public	형용사	공공의	Community, societal	Private, personal
debate	명사	토론	Discussion, argument	Agreement, consensus
deserve	동사	가치가 있다	Earn, merit	Undeserve, unworthy
criticism	명사	비판	Censure, disapproval	Praise, approval
popularization	명사	대중화	Widespread acceptance	Niche appeal
greatly	부사	크게	Significantly, substantially	Slightly, minimally
enhanced	형용사	향상된	Improved, upgraded	Diminished, worsened
improving	형용사	향상 중인	Advancing, progressing	Deteriorating, regressing
widespread	형용사	광범위한	Extensive, prevalent	Limited, localized
majority	명사	다수, 대다수	Most, greater part	Minority, few
likely to	부사구	~할 가능성이 높은	Probably, possibly	Unlikely, improbable
scripts	명사	대본	Manuscripts, screenplays	Improvisation, ad-lib
humanities	명사	인문학	Liberal arts, literature	Sciences, mathematics
furthermore	부사	게다가	Moreover, additionally	However, nevertheless
material	명사	자료, 물질	Substance, content	Immaterial, abstract
thrillers	명사	스릴러	Suspenseful stories	Boring narratives
screenplays	명사	시나리오	Scripts, scenarios	Improvisation, ad-lib
contemporary	형용사	현대의	Modern, current	Outdated, old-fashioned
influential	형용사	영향력 있는	Persuasive, impactful	Ineffective, inconsequential
attractive	형용사	매력 있는	Appealing, charming	Unattractive, repulsive

New ideas, such as those inspired by scientific developments, are often aired and critiqued in our popular culture as part of a healthy process of public debate, and scientists sometimes deserve the criticism they get. But the popularization of science would be greatly enhanced by improving the widespread images of the scientist. Part of the problem may be that the majority of the people who are most likely to write novels, plays, and film scripts were educated in the humanities, not in the sciences. Furthermore, the few scientists-turned-writers have used their scientific training as the source material for thrillers that further damage the image of science and scientists. We need more screenplays and novels that present scientists in a positive light. In our contemporary world, television and film are particularly influential media, and it is likely that the introduction of more scientist-heroes would help to make science more attractive.

새로운 아이디어는 종종 과학적 발전에서 영감을 받아 대중 문화에서 공개 토론의 건강한 과정의 일환으로 소개되고 비평됩니다. 때로는 과학자들이 받는 비판에 대한 대우가 바람직할 수 있습니다. 그러나 과학의 대중화는 과학자들의 폭넓은 이미지를 개선함으로써 크게 증진될 것입니다. 문제의 일부는 소설, 연극 및 영화 대본을 쓰는 사람들 중 대부분이 인문학을 전공한 사람들이라는 점일 수 있습니다. 게다가 소수의 과학자 출신 작가들은 과학적 교육을 스릴러의 소재로 사용하여 과학과 과학자들의 이미지를 더욱 훼손하는데 기여했습니다. 우리는 과학자들을 긍정적인 면에서 소개하는 더 많은 영화 시나리오와 소설이 필요합니다. 현대 세계에서 텔레비전과 영화는 특히 영향력 있는 매체이며, 더 많은 과학자 영웅의 등장이 과학을 더욱 매력적으로 만드는 데 도움이 될 것으로 생각됩니다.

영어표현	품사	뜻	유의어	반의어
contractors	명사	계약업자	Builders, subcontractors	Clients, employers
construct	동사	건설하다	Build, erect	Demolish, dismantle
weight on	부사구	~에 중점을 두다	Emphasize, focus on	Deemphasize, disregard
forces	명사	힘, 노력	Strength, effort	Weakness, inactivity
detailed	형용사	자세한	Elaborate, thorough	Brief, concise
allows	동사	허용하다	Permits, enables	Prohibits, restricts
consider	동사	고려하다	Contemplate, think about	Disregard, ignore
methodologies	명사	방법론	Approaches, methods	Improvisation, guesswork
thereby	부사	그 결과로	Consequently, accordingly	Contrarily, oppositely
deciding	형용사	결정적인	Determining, crucial	Indecisive, inconclusive
discover	동사	발견하다	Uncover, find	Conceal, hide
restrictions	명사	제한	Limitations, constraints	Freedom, flexibility
addressed	동사	다루다	dealt with	Ignored, neglected
estimating	형용사	계산하다	Approximating, calculating	-
phase	명사	단계	Stage, step	-
technology	명사	기술	Innovation, advancements	Obsolete, outdated
material	명사	자료, 물질	Substance, content	Immaterial, abstract
execution	명사	실행	Implementation, performance	Non-execution, failure
workable	형용사	실행 가능한	Feasible, practical	Impractical, unattainable
scheme	명사	계획, 체계	Plan, system	Chaos, disorder
efficiently	부사	효율적으로	productively	Inefficiently, poorly
within	전치사	~내에	Inside, in	Outside, beyond
allowable	형용사	허용되는	Permissible, acceptable	Forbidden, prohibited
given budget	부사구	주어진 예산 내에서	Within the allocated budget	Exceeding the budget
well-developed	형용사	잘 개발된	Mature, advanced	Underdeveloped, primitive
flawlessly	부사	완벽하게	Perfectly, impeccably	Faultily, imperfectly
succeed	동사	성공하다	Prosper, achieve	Fail, falter
objectives	명사	목표, 목적	Goals, targets	Apathy, aimlessness
improve	동사	개선하다	Enhance, upgrade	Deteriorate, worsen

2022년 22번 문제

Contractors that will construct a project may place more weight on the planning process. Proper planning forces detailed thinking about the project. It allows the project manager (or team) to "build the project in his or her head." The project manager (or team) can consider different methodologies thereby deciding what works best or what does not work at all. This detailed thinking may be the only way to discover restrictions or risks that were not addressed in the estimating process. It would be far better to discover in the planning phase that a particular technology or material will not work than in the execution process. The goal of the planning process for the contractor is to produce a workable scheme that uses the resources efficiently within the allowable time and given budget. A well-developed plan does not guarantee that the executing process will proceed flawlessly or that the project will even succeed in meeting its objectives. It does, however, greatly improve its chances..

프로젝트를 건설할 계획인 건설업자들은 계획 과정에 더 많은 중요성을 둘 수 있습니다. 적절한 계획은 프로젝트에 대한 자세한 사고를 강요합니다. 이를 통해 프로젝트 관리자(또는 팀)는 "머릿속에서 프로젝트를 구축할" 수 있습니다. 프로젝트 관리자(또는 팀)는 서로 다른 방법론을 고려함으로써 어떤 것이 가장 잘 작동하는지 또는 전혀 작동하지 않는지를 결정할 수 있습니다. 이러한 자세한 사고는 추정 과정에서 다뤄지지 않은 제한 사항이나 위험을 발견하는 유일한 방법일 수 있습니다. 특정 기술이나 재료가 작동하지 않을 것임을 계획 단계에서 발견하는 것이 실행 과정에서 발견하는 것보다 훨씬 낫습니다. 건설업자의 계획 과정의 목표는 허용 가능한 시간과 주어진 예산 내에서 자원을 효율적으로 사용하는 작업 가능한 체계를 생산하는 것입니다. 잘 개발된 계획은 실행 과정이 완벽하게 진행되거나 프로젝트가 목표를 달성하는 데 성공할 것을 보장하지는 않습니다. 그러나 그 가능성을 크게 향상시킵니다.

영어표현	품사	뜻	유의어	반의어
adult	형용사/명사	성인의/성인	Mature, grown-up	Childish, juvenile
consumption	명사	소비	Usage, expenditure	Conservation, saving
format	명사	형식	Structure, arrangement	Disorder, chaos
survey	명사/동사	조사/조사하다	Examination, study	Ignore, neglect
conducted	동사	실시된	Carried out, executed	Abandoned, halted
previous	형용사	이전의	Prior, former	Subsequent, following
while	전치사/접속사	~하는 동안/그러나	During, simultaneously	Despite, although
audiobook	명사	오디오북	-	Printed book, text
영어표현	품사	뜻	유의어	반의어
former	형용사	전의	Previous, past	Latter, current
athlete	명사	선수	Sportsman	Spectator, non-athlete
is considered	동사구	고려되다	Is regarded as, is seen as	Is dismissed, is ignored
long-distance	형용사	장거리의	Extended-range, far-reaching	Short-distance, close-range
famous	형용사	유명한	Well-known, renowned	Unknown, obscure
distinctive	형용사	독특한	Distinguished, unique	Common, ordinary
factory	명사	공장	Manufacturing plant, facility	small workshop
participated	동사	참여한	Engaged in, took part in	Abstained, avoided
won second place	동사구	2등을 차지했다	came in second	Lost, came in last
interest	명사/동사	흥미/흥미를 가지다	Fascination, curiosity	disinterest
devoted himself	동사구	헌신했다	Committed himself, dedicated himself	Neglected, abandoned
breaking Olympic records	동사구	기록을 경신하다	Setting new Olympic records	Failing to break records
in each	전치사구	각각에서	In every, in every aspect	Nowhere, in none
was noted	동사구	주목받았다	Was recognized, was acknowledged	Went unnoticed, was ignored
personality	명사	개성, 성격	Character, disposition	Anonymity, blandness
invited	동사	초대받은	Welcomed, summoned	Uninvited, unwelcome

2022년 25번 문제

The above graph, which was based on a survey conducted in 2019, shows the percentages of U.S. adults by age group who said they had read (or listened to) a book in one or more of the formats —print books, e-books, and audiobooks — in the previous 12 months. The percentage of people in the 18-29 group who said they had read a print book was 74%, which was the highest among the four groups. The percentage of people who said they had read a print book in the 50-64 group was higher than that in the 65 and up group. While 34% of people in the 18-29 group said they had read an e-book, the percentage of people who said so was below 20% in the 65 and up group. In all age groups, the percentage of people who said they had read an e-book was higher than that of people who said they had listened to an audiobook. Among the four age groups, the 30-49 group had the highest percentage of people who said they had listened to an audiobook.

상기 그래프는 2019 년에 실시된 조사를 기반으로 한 것으로, 미국 성인들 중에서 이전 12 개월 동안 책을 읽었거나(들었거나) 한 포맷 이상의 책 - 인쇄된 책, 전자책, 오디오북 -을 읽었음을 밝힌 사람들의 백분율을 보여줍니다. ① 18-29 세 그룹에서 인쇄된 책을 읽었다고 한 사람들의 백분율은 74%로, 네 그룹 중에서 가장 높았습니다. ② 50-64 세 그룹에서 인쇄된 책을 읽었다고 한 사람들의 백분율이 65 세 이상 그룹보다 높았습니다. ③ 18-29 세 그룹에서 전자책을 읽었다고 한 사람들의 백분율은 34%이지만, 65 세 이상 그룹에서는 20% 미만이었습니다. ④ 모든 연령 그룹에서 전자책을 읽었다고 한 사람들의 백분율이 오디오북을 들었다고 한 사람들의 백분율보다 높았습니다. ⑤ 네 연령 그룹 중에서 30-49 세 그룹이 오디오북을 들었다고 한 사람들의 백분율이 가장 높았습니다.

2022년 26번 문제

Emil Zátopek, a former Czech athlete, is considered one of the greatest long-distance runners ever. He was also famous for his distinctive running style. While working in a shoe factory, he participated in a 1,500-meter race and won second place. After that event, he took a more serious interest in running and devoted himself to it. At the 1952 Olympic Games in Helsinki, he won three gold medals in the 5,000-meter and 10,000-meter races and in the marathon, breaking Olympic records in each. He was married to Dana Zátopková, who was an Olympic gold medalist, too. Zátopek was also noted for his friendly personality. In 1966, Zátopek invited Ron Clarke, a great Australian runner who had never won an Olympic gold medal, to an athletic meeting in Prague. After the meeting, he gave Clarke one of his gold medals as a gift.

에밀 자토펙은 전 체코 선수로, 역대 최고의 장거리 달리기 선수 중 하나로 꼽힙니다. 또한 그의 특이한 달리기 스타일로도 유명합니다. 신발 공장에서 일하던 중에 1,500m 경주에 참여하여 2 등을 차지했습니다. 이후 그 이벤트 이후에는 러닝에 더 진지하게 관심을 갖고 그에 몰두했습니다. 1952 년 헬싱키 올림픽에서는 5,000m 및 10,000m 경기 및 마라톤에서 3 개의 금메달을 획득하면서 각각 올림픽 기록을 갱신했습니다. 그는 또한 올림픽 금메달리스트인 다나 자토프코바와 결혼했습니다. 자토펙은 친근한 성격으로도 유명했습니다. 1966 년에는 올림픽 금메달을 한 번도 획득하지 못한 위대한 호주 선수 로널드 클라크를 프라하의 경기에 초청했습니다. 경기 후에 그는 클라크에게 자신의 금메달 중 하나를 선물로 주었습니다.

영어표현	품사	뜻	유의어	반의어
factory	명사	공장	Manufacturing plant, facility	small workshop
attention	명사	주의, 관심	Focus, concentration	Neglect, indifference
experience	명사/동사	경험/체험하다	Encounter, undergo	Inexperience, unfamiliarity
historic	형용사	역사적인	Historical, significant	Modern, contemporary
participation	명사	참가, 참여	Involvement, engagement	Nonparticipation, noninvolvement
fee	명사	요금	Charge, cost	Free, no charge
includes	동사	포함하다	Contains, encompasses	Excludes, omits
sign up	구동사	등록하다, 신청하다	Register, enroll	Withdraw, cancel
participants	명사	참가자들	Attendees, contestants	Spectators, observers
cheese-shaped	형용사	치즈 모양의	Resembling cheese in shape	-
allowed	형용사	허용된	Permitted, authorized	Forbidden, prohibited

영어표현	품사	뜻	유의어	반의어
drive-in	명사	드라이브인	drive-through	-
loved ones	명사구	사랑하는 사람들	Family, friends	strangers
will be donated	동사구	기부될 것이다	Will be given to charity	Will be kept, will be retained
local	형용사	지역의	Regional, community	Non-local, distant
featured film	명사구	주연 영화	Main film, highlighted movie	Supporting film, secondary movie
showtimes	명사	상영 시간표	Screening times, movie schedule	-
screening	명사	상영	Showing, presentation	Closing, discontinuation
additional	형용사	추가적인	Extra, supplementary	Basic, essential
parking spots	명사구	주차 공간	Parking spaces, parking area	No-parking zone, restricted area
are sold	동사구	판매 중이다	Are available for purchase, are on sale	Are not for sale, are unavailable
on site	부사구	현장에서	At the location, at the venue	Off-site, remotely
reservation	명사	예약	Booking, appointment	Walk-in, spontaneous visit

2022년 27번 문제

Wing Cheese Factory Tour

Attention, all cheese lovers! Come and experience our historic cheese-making process at the Wing Cheese Factory. Look around, taste, and make!

Participation
• Adults: $30, Children: $10 (Ages 3 and under: Free)
• The fee includes cheese tasting and making.
• Sign up for the tour at www.cheesewcf.com by June 30.

Tour Schedule
• 10:00 a.m.: Watch a video about the factory's history
• 10:30 a.m.: Factory tour and cheese tasting
• 11:30 a.m.: Cheese making

Note
• Participants can buy a cheese-shaped key chain for $15.
• No photography is allowed inside the factory.
• We are closed on Saturdays, Sundays, and holidays.

주의, 모든 치즈 애호가 여러분들께! 윙 치즈 공장에서 우리의 역사적인 치즈 제조과정을 경험해 보세요. 구경하고 맛보고 만들어 보세요!

참여
·성인: $30, 어린이: $10 (3 세 미만 어린이: 무료)
·비용에는 치즈 맛보기와 제조가 포함됩니다.
·6 월 30 일까지 www.cheesewcf.com 에서 투어 신청하세요.

투어 일정
·10:00 a.m.: 공장 역사에 관한 동영상 시청
·10:30 a.m.: 공장 투어 및 치즈 맛보기
·11:30 a.m.: 치즈 제조 참고
·참가자들은 $15 에 치즈 모양 키 체인을 구매할 수 있습니다.
·공장 내부에서는 사진 촬영이 허용되지 않습니다.
·토요일, 일요일 및 공휴일에는 휴무입니다.

2022년 28번 문제

Treehouse Drive-in Movie Night

Looking for a fun night out with the family? Come with your loved ones and enjoy our first drive-in movie night of 2021! All money from ticket sales will be donated to the local children's hospital.

Featured Film: *Dream Story*

Date: June 13, 2021

Place: Treehouse Parking Lot

Showtimes
• First Screening: 7:30 p.m.
• Second Screening: 10:00 p.m.

Tickets: $30 per car

Additional Information
• 50 parking spots are available (The gate opens at 6 p.m.).
• Ice cream and hot dogs are sold on site.
• Make your reservation online at www.tdimn.com.

Treehouse 주차장에서 2021 년 첫 번째 드라이브 인 영화 밤을 즐길 준비되셨나요? 가족과 함께 즐거운 시간을 보내세요! 티켓 매출로 얻은 모든 돈은 지역 어린이 병원에 기부됩니다.

상영 영화: Dream Story
날짜: 2021 년 6 월 13 일
장소: Treehouse 주차장 상영 시간
·첫 번째 상영: 오후 7 시 30 분
·두 번째 상영: 오후 10 시
티켓: 차당 $30
추가 정보 ·주차 공간 50 대 이용 가능합니다 (게이트는 오후 6 시에 열립니다.).
 ·현장에서 아이스크림과 핫도그를 판매합니다.
·온라인으로 예약하세요: www.tdimn.com.

영어표현	품사	뜻	유의어	반의어
kinship	명사	혈연, 친척관계	Family relationship, blood ties	Estrangement, alienation
ties	명사	유대, 결속	Connections, bonds	Disconnections, rifts
continue	동사	계속되다	Persist, endure	Cease, halt
important	형용사	중요한	Significant, crucial	trivial
modern	형용사	현대의	Contemporary, present-day	Ancient, outdated
society	명사	사회	Community, civilization	Isolation, solitude
frequently	부사	자주	Often, regularly	Rarely, infrequently
get-together	명사	소모임, 모임	Gathering, social event	Isolation, separation
relatives	명사	친척	Family members, kin	Strangers, unrelated
regularly	부사	정기적으로	Routinely, consistently	Irregularly, sporadically
variety	명사	다양성	Diversity, assortment	Uniformity, monotony
referred	동사	언급된	Mentioned, cited	Omitted, unmentioned
pattern	명사	패턴, 양식	Design, structure	Disorder, randomness
behavior	명사	행동	Conduct, actions	Misbehavior, misconduct
modified	형용사	수정된	Altered, adjusted	Unmodified, unchanged
extended	형용사	확장된	Enlarged, expanded	Shortened, reduced
structure	명사	구조	Framework, organization	Chaos, disarray
multigenerational	형용사	다세대의	Involving multiple generations	Single-generational, monogenerational
co-residence	명사	동거	Living together, shared residence	Living separately, independent residence
generations	명사	세대	Age groups, cohorts	Isolation, solitary existence
corporate	형용사	단체의, 법인의	Collective, organizational	Individual, personal
geographical	형용사	지리적인	regional	Nongeographical
proximity	명사	근접, 가까움	Closeness, nearness	Distance, remoteness
maintained	동사	유지된	Preserved, upheld	Neglected, abandoned
In contrast	관계사구	대조적으로	Conversely, on the other hand	Similarly, likewise
opportunities	명사	기회	Possibilities, chances	Challenges, obstacles
occupational	형용사	직업의	Professional, job-related	Non-occupational, nonprofessional
advancement	명사	진전, 발전	Progress, improvement	Stagnation, regression

2022년 35번 문제

Kinship ties continue to be important today. In modern societies such as the United States people frequently have family get-togethers, they telephone their relatives regularly, and they provide their kin with a wide variety of services. Eugene Litwak has referred to this pattern of behaviour as the 'modified extended family'. It is an extended family structure because multigenerational ties are maintained, but it is modified because it does not usually rest on co-residence between the generations and most extended families do not act as corporate groups. Although modified extended family members often live close by, the modified extended family does not require geographical proximity and ties are maintained even when kin are separated by considerable distances. The oldest member of the family makes the decisions on important issues, no matter how far away family members live from each other. In contrast to the traditional extended family where kin always live in close proximity, the members of modified extended families may freely move away from kin to seek opportunities for occupational advancement.

가족의 유대는 오늘날에도 중요한 역할을 하고 있습니다. 미국과 같은 현대 사회에서 사람들은 자주 가족이 함께 모이고, 정기적으로 친척들에게 전화를 하며, 다양한 서비스를 가족에게 제공합니다. Eugene Litwak은 이러한 행동 양식을 '변형된 확장 가족'이라고 지칭했습니다. 이는 다세대적인 유대가 유지되기 때문에 확장 가족 구조이지만, 세대 간 동거에 의존하지 않으며 대부분의 확장 가족이 단체로 행동하지 않기 때문에 변형된 것입니다. 비록 변형된 확장 가족 구성원들이 종종 가까이 살더라도, 변형된 확장 가족은 지리적 근접성을 필요로 하지 않으며, 친척들이 상당한 거리로 떨어져 있더라도 유대는 유지됩니다. 가족 구성원들이 서로 얼마나 떨어져 있더라도 중요한 문제에 대한 결정은 가족의 가장 연장자가 내립니다. 전통적인 확장 가족과 달리 변형된 확장 가족 구성원들은 직업적 발전을 위해 가족에서 자유롭게 이동할 수 있습니다.

영어표현	품사	뜻	유의어	반의어
privacy	명사	개인정보 보호	Confidentiality, seclusion	Exposure, publicness
restrict	동사	제한하다	Limit, confine	Allow, permit
expression	명사	표현	Articulation, representation	Suppression, repression
scope	명사	범위	Range, extent	Limit, boundary
poverty-based	형용사	가난에 기반한	Linked to poverty	Unrelated to poverty
notion	명사	개념	Idea, concept	Reality, fact
technological	형용사	기술적인	technical	Non-technological, manual
unobserved	형용사	감시되지 않는	Unnoticed, unseen	Observed, noticed
circulated	형용사	순환하는	Distributed, disseminated	Retained, kept
permission	명사	허가	Authorization, approval	Prohibition, restriction
arise	동사	생기다	Emerge, appear	Disappear, vanish
offence	명사	범죄, 공격	Crime, wrongdoing	Innocence, virtue
observation	명사	관찰	Watching, scrutiny	Ignorance, neglect
incorporated	형용사	통합된	Integrated, merged	Separated, disconnected
protect	동사	보호하다	Safeguard, defend	Endanger, expose
correspondence	명사	통신	Communication, exchange	Silence, non-communication
interference	명사	간섭	Interruption, obstruction	Non-interference, nonintervention
determination	명사	결정, 결의	Resolution, resolve	Indecision, uncertainty
reputation	명사	평판	Image	Disrepute
reproductions	명사	복제	Copies, duplicates	Originals, authentic items
reinterpreted	형용사	재해석된	Rethought, reevaluated	Maintained, unchanged
side effects	명사	부작용	repercussions	Main effects, intended outcomes
domain	명사	영역	Area, field	Irrelevant, unrelated
conflicts	명사	갈등	Disputes, disagreements	Harmony, agreement
evolving	형용사	진화하는	Developing, changing	Fixed, unchanging
practices	명사	실천, 행위	Customs, habits	Abandonment, neglect
regulations	명사	규정	Rules, guidelines	Anarchy, lawlessness
intervention	명사	개입	Interference, involvement	Nonintervention, noninterference

The right to privacy may extend only to the point where it does not restrict someone else's right to freedom of expression or right to information. The scope of the right to privacy is similarly restricted by the general interest in preventing crime or in promoting public health. However, when we move away from the property-based notion of a right (where the right to privacy would protect, for example, images and personality), to modern notions of private and family life, we find it easier to establish the limits of the right. This is, of course, the strength of the notion of privacy, in that it can adapt to meet changing expectations and technological advances.

In sum, what is privacy today? The concept includes a claim that we should be unobserved, and that certain information and images about us should not be circulated without our permission. Why did these privacy claims arise? They arose because powerful people took offence at such observation. Furthermore, privacy incorporated the need to protect the family, home, and correspondence from arbitrary interference and, in addition, there has been a determination to protect honour and reputation. How is privacy protected? Historically, privacy was protected by restricting circulation of the damaging material. But if the concept of privacy first became interesting legally as a response to reproductions of images through photography and newspapers, more recent technological advances, such as data storage, digital images, and the Internet, pose new threats to privacy. The right to privacy is now being reinterpreted to meet those challenges

개인 정보 보호권은 다른 사람의 표현의 자유나 정보 접근권을 제한하지 않는 범위에서만 확장될 수 있습니다. 개인 정보 보호권의 범위는 범죄 예방이나 공중 보건 증진을 위한 일반적인 관심에 의해 비슷하게 제한됩니다. 그러나 우리가 개인 정보 보호권의 속성 기반 개념(예를 들어 이미지와 성격을 보호할 수 있는 개인 정보 보호권)에서 떨어져서 현대적인 개인 및 가정 생활의 개념으로 이동할 때, 해당 권리의 한계를 설정하는 것이 쉬워집니다. 이것은 물론, 개인 정보 보호권의 개념이 변화하는 기대와 기술적 진보를 충족시킬 수 있는 점에서의 강점입니다. 총론적으로, 오늘날 개인 정보 보호란 무엇인가요? 이 개념에는 우리가 관찰되지 않아야 하며, 우리에 관한 특정 정보와 이미지가 우리의 허락 없이 퍼져서는 안 된다는 주장이 포함됩니다. 왜 이러한 개인 정보 보호 요구가 생겼을까요? 이러한 요구가 생긴 이유는 강력한 사람들이 그러한 관찰에 불쾌함을 느끼기 때문입니다. 또한 개인 정보 보호는 가족, 집, 서신을 (d) 임의의 간섭으로부터 보호할 필요를 포함하고 있으며, 더불어 명예와 평판을 보호하기 위한 결심이 있었습니다. 개인 정보 보호는 어떻게 보호되나요? 역사적으로, 개인 정보 보호는 피해를 입히는 자료의 퍼짐을 제한함으로써 보호되었습니다. 그러나 개인 정보 보호의 개념이 처음으로 법적으로 흥미로워졌던 것은 사진 및 신문을 통한 이미지 재생으로 대응했을 때였습니다. 그러나 최근 기술적 진보, 즉 데이터 저장, 디지털 이미지 및 인터넷과 같은 것들은 개인 정보 보호에 새로운 위협을 제공합니다. 개인 정보 보호 권리는 이러한 도전에 대응하기 위해 다시 해석되고 있습니다.

영어표현	품사	뜻	유의어	반의어
against	전치사	~에 반대하여	Opposed to, contrary to	In favor of, supportive of
planted	형용사	심어진	Embedded, set	Uprooted, unplanted
firmly	부사	확고하게	Securely, strongly	Loosely, weakly
rougher	형용사	거친, 힘든	tougher	Smoother, gentler
tossing	동사	던지는	Throwing	Catching, holding
eagerly	부사	열심히, 간절히	Keenly, enthusiastically	Reluctantly, hesitantly
advantage	명사	이점	Benefit, gain	Disadvantage, drawback
graduate	동사	졸업하다	Complete a course, finish studies	Enroll, begin studies
college	명사	대학	University, institute	High school, secondary school
mindset	명사	태도, 사고방식	Attitude, mentality	Indifference, apathy
daring	형용사	대담한	Adventurous, bold	Cautious, timid
adventurer	명사	모험가	Explorer, wanderer	Homebody, non-adventurer
experience	명사/동사	경험/체험하다	Encounter, involvement	Inexperience, unfamiliarity
courage	명사	용기	Bravery	Cowardice, timidity
reflection	명사	반성, 숙고	Contemplation, meditation	Distraction, thoughtlessness
confident	형용사	자신 있는	Self-assured, assured	Insecure, unsure
excitedly	부사	흥분하여	Enthusiastically, eagerly	Calmly, nonchalantly
relief	명사	안도, 안심	Comfort, ease	Anxiety, distress
scenery	명사	풍경	Landscape, view	Urban setting, cityscape
breathtaking	형용사	숨막히게 좋은	Astonishing, awe-inspiring	Ordinary, unremarkable
speechless	형용사	말이 나오지 않는	Silent, mute	Vocal, articulate
wonder	명사/동사	경이, 궁금증	Amazement, curiosity	Indifference, disinterest
rafting	명사	래프팅	White-water rafting	Still-water boating
agreeing	형용사	동의하는	Concurring, approving	Disagreeing, objecting
thumbs-up	명사	엄지 척	Approval, endorsement	Disapproval, rejection
delighted	형용사	기뻐하는	Pleased, thrilled	Displeased, disappointed
adventurous	형용사	모험을 좋아하는	Daring, venturesome	Cautious, risk-averse
suggest	동사	제안하다	Propose, recommend	Oppose, discourage
against	전치사	~에 반대하여	Opposed to, contrary to	In favor of, supportive of

Fighting against the force of the water was a thrilling challenge. Sophia tried to keep herself planted firmly in the boat, paying attention to the waves crashing against the rocks. As the water got rougher, she was forced to paddle harder to keep the waves from tossing her into the water. Her friends Mia and Rebecca were paddling eagerly behind her to balance the boat. They were soaked from all of the spray. Mia shouted to Sophia, "Are you OK? Aren't you scared?"

"I'm great!" Sophia shouted back excitedly. Even though he boat was getting thrown around, the girls managed to avoid hitting any rocks. Suddenly, almost as quickly as the water had got rougher, the river seemed to calm down, and they all felt relaxed. With a sigh of relief, Sophia looked around. "Wow! What a wonderful view!" she shouted. The scenery around them was breathtaking. Everyone was speechless. As they enjoyed the emerald green Rocky Mountains, Mia said, "No wonder rafting is the best thing to do in Colorado!"

Agreeing with her friend, Rebecca gave a thumbs-up. "Sophia, your choice was excellent!" she said with a delighted smile. "I thought you were afraid of water, though, Sophia," Mia said. Sophia explained, "Well, I was before I started rafting. But I graduate from college in a few months. And, before I do, I wanted to do something really adventurous to test my bravery. I thought that if I did something completely crazy, it might give me more confidence when I'm interviewing for jobs." Now they could see why she had suggested going rafting

"You've got a good point. It's a real advantage to graduate from college with the mindset of a daring adventurer," Mia said. Rebecca quickly added, "That's why I went to Mongolia before I started my first job out of college. Teaching English there for two months was a big challenge for me. But I learned a lot from the experience. It really gave me the courage to try anything in life." Listening to her friends, Sophia looked at her own reflection in the water and saw a confident young woman smiling back at her.

물의 힘과의 싸움은 스릴 넘치는 도전이었다. 소피아는 보트에 단단히 서 있는 것을 유지하려고 노력했고, 바위에 부딪치는 파도에 주의를 기울였다. 물이 거칠어질수록, 그녀는 물이 그녀를 물 속으로 던지지 않도록 하기 위해 더 열심히 패들을 떨어야 했다. 그녀의 친구들 미아와 레베카는 보트를 균형잡기 위해 그녀 뒤에서 열심히 패들을 떨었다. 그들은 모든 분무로 인해 젖었다. 미아가 소피아에게 소리쳤다. "괜찮아요? 무서워요?"

"멋져요!" 소피아는 흥분하여 소리쳤다. 보트가 흔들리기 시작했지만, 여자들은 어떤 바위에도 부딪히지 않았다. 갑자기, 물이 거칠어진 것처럼, 강은 잠잠해졌고, 그들은 모두 편안해졌다. 안도의 한숨을 내쉬며 소피아가 주변을 둘러보았다. "와! 정말 멋진 풍경이야!" 그녀는 소리쳤다. 그들 주변의 풍경은 아름다웠다. 모두가 말이 없었다. 에메랄드 빛 록키 산맥을 즐기며, 미아가 말했다. "콜로라도에서 래프팅이 최고인 것도 이유가 있네요!"

그녀의 친구와 동의하며, 레베카가 엄지손가락을 올렸다. "소피아, 네 선택이 훌륭해요!" 그녀는 기쁜 미소를 짓고 말했다. "하지만, 물을 무서워했던 거 아니에요, 소피아?" 미아가 말했다. 소피아는 설명했다. "음, 래프팅을 시작하기 전에는 그랬어요. 하지만 몇 달 후에 대학을 졸업하게 됐거든요. 그리고 그 전에 용감함을 시험해보고 싶었어요. 완전히 미친 짓을 하면 취직 면접을 할 때 더 자신감을 얻을 수 있을 것 같았거든요." 이제 그들은 그녀가 래프팅을 제안한 이유를 이해할 수 있었다.

"너는 좋은 점을 가지고 있어. 대학을 졸업할 때 대담한 모험가의 마인드를 가지고 있다는 것은 진정한 장점이야," 미아가 말했다. 레베카가 빨리 덧붙였다. "그래서 나는 대학을 졸업하고 첫 직장을 시작하기 전에 몽골에 갔어요. 거기서 두 달 동안 영어를 가르치는 것은 나에게 큰 도전이었지만, 그 경험으로 많은 걸 배웠어요. 그 경험으로 인생에서 무엇이든 시도할 용기를 얻었어요." 친구들의 이야기를 듣는 동안, 소피아는 물에 비친 자신의 모습을 보고 자신감 넘치는 젊은 여성이 웃고 있는 것을 보았다.

시간이 소중한
당신을 위한

2022년 9월

수능의, 수능에 의한, 수능만을 위한
164개의 단어

2022년 여기까지 달려온 당신
수능을 잘 볼 자격이 있습니다!

2022년 9월 3교시 영어영역
오답률이 가장 높은 15개 문제의 분석

[오답률 높은 순]

오답률 80%이상	오답률 60%이상	20% 이상이 선택	40% 이상이 선택

2022년									
9월									
순위	문항 번호	오답률	■점	정답	선택지별 비율				
					①	②	③	④	⑤
1	39	77.6	3	5	3.9	9.1	26.7	36	22.4
2	36	72	2	5	6.1	25.9	20.8	17.3	28
3	33	69.7	3	1	30.3	17.1	17.5	12.3	21
4	21	68.7	3	2	17.2	31.3	11.3	12	26.6
5	31	67.7	2	3	13.6	19.1	32.3	16.3	16.9
6	34	66.9	3	4	18	18.3	19.1	33.1	9.6
7	42	65.6	2	5	5.6	14.7	18.9	24.3	34.4
8	37	64.5	3	2	5.2	35.5	32.4	13.8	11.1
9	30	62.7	3	4	5.4	12.2	15.6	37.3	27.7
10	40	62.6	2	1	37.4	23	16.6	14.7	6.2
11	38	59.6	2	4	5.4	15.7	24.4	40.4	12.2
12	41	59.2	2	2	13	40.8	15.6	15.7	12.9
13	32	53.9	2	2	11.4	46.1	19.5	10.3	10.9
14	22	53.9	2	1	46.1	18.7	4.9	6.4	22.2
15	23	50.4	3	5	9.5	15.8	12.3	11.1	49.6

[문제 순서 순]

2022년									
6월									
순위	문항 번호	오답률	■점	정답	선택지별 비율				
					①	②	③	④	⑤
4	21	68.7	3	2	17.2	31.3	11.3	12	26.6
14	22	53.9	2	1	46.1	18.7	4.9	6.4	22.2
15	23	50.4	3	5	9.5	15.8	12.3	11.1	49.6
9	30	62.7	3	4	5.4	12.2	15.6	37.3	27.7
5	31	67.7	2	3	13.6	19.1	32.3	16.3	16.9
13	32	53.9	2	2	11.4	46.1	19.5	10.3	10.9
3	33	69.7	3	1	30.3	17.1	17.5	12.3	21
6	34	66.9	3	4	18	18.3	19.1	33.1	9.6
2	36	72	2	5	6.1	25.9	20.8	17.3	28
8	37	64.5	3	2	5.2	35.5	32.4	13.8	11.1
11	38	59.6	2	4	5.4	15.7	24.4	40.4	12.2
1	39	77.6	3	5	3.9	9.1	26.7	36	22.4
10	40	62.6	2	1	37.4	23	16.6	14.7	6.2
12	41	59.2	2	2	13	40.8	15.6	15.7	12.9
7	42	65.6	2	5	5.6	14.7	18.9	24.3	34.4

2022 년 9 월 시험은 한 문장으로 하자면 "상위권 변별하는 시험"이었습니다. 기본기가 탄탄하고 실력이 좋은 1 등급은 반드시 1 등급을 맞게 하되 2 등급이 우연히 1 등급이 될 수 없게 만들겠다. 그리고 3 등급 역시 우연히 2 등급이 될 수 없다. 이것을 보여주는 시험이었습니다. 정답률 20%대의 문제는 2 개밖에 없습니다. 이것은 6 월달에 보여주었던 패턴과 일치합니다. 하지만 정답률 30%대의 문제가 10 개나 출제되었습니다. 중상위권과 상위권을 완벽하게 구별하겠다는 뜻입니다. 때문에 1 등급 학생들은 어렵지만 확실히 1 등급을 받을 수 있었을 것이고 2 등급 학생들 중에서 많은 학생들이 좌절했을 것입니다

3 등급 학생의 경우는 그냥 엄청 어려운 시험이라고 느꼈을 것입니다. 뭐가 풀 수 있는 문제고 어떤 것이 틀려도 되는 문제인지 감이 잡히지 않았을 것입니다. 그래서 우왕좌왕하다가 3 등급 방어를 실패한 학생들이 많았을 것입니다. 그도 그럴 것이 앞에서 10 개의 문제가 모두 변별력을 갖춘 문제인데 이것이 한 곳에 쏠린 것이 아니라 21 번부터 42 번까지 골고루 배치되어 있었습니다. 그러니 시험 보는 내내 눈이 돌아가는 경험을 했을 것입니다.

시간이 소중한 여러분께 당부드립니다. 이런 식의 평가원 출제는 익숙해지셔야 합니다. 그리고 이정도 난이도에 이런 변별력을 갖는 것은 평가원이 아주 잘한 일입니다. 22 년 9 월 모의고사로 실력을 평가한 분이 있다면, 아주 적나라하게 여러분들의 실력을 평가받았을 것입니다.

저는 믿습니다. 변칙이 원칙을 이길 수는 없습니다. 여러분들이 힘들다는 것을 알고 있지만, 여기서 조금 벗어나 요행을 바란다면, 여러분이 치르는 수능시험에서 걷잡을 수 없을 결과를 맛볼 것입니다. 여기서 말하는 원칙은 두 가지입니다. 단어와 문해력. 꼭 이 원칙을 지키시고 기본기 탄탄하게 잡으시기 바랍니다. 파이팅!

.

영어표현	품사	뜻	유의어	반의어
marketing	명사	마케팅	Promotion, advertising	Neglect, disinterest
director	명사	감독	Supervisor, manager	Follower, subordinate
charity	명사	자선	Philanthropy, nonprofit	Selfishness, greed
expect	동사	기대하다	Anticipate, foresee	Disregard, ignore
helpful	형용사	도움이 되는	Beneficial, useful	Unhelpful, detrimental
in raising money	구동사구	돈 모으는 데에	Collecting funds, fundraising	Spending money, financial drain
medical	형용사	의료의	Healthcare, medicinal	Non-medical, non-healthcare
costs	명사	비용	Expenses, expenditures	Savings, economy
invite	동사	초대하다	Summons, ask	Disinvite, exclude
reputation	명사	평판	Image, standing	Infamy, disgrace
performance	명사	공연, 성과	Show, presentation	Failure, underperformance
enjoyable	형용사	즐거운	Pleasurable, delightful	Unpleasant, dull
audience	명사	관객, 청중	Spectators, viewers	Performers, actors
look forward	구동사구	기대하다	Anticipate, await	Dread, fear
positive	형용사	긍정적인	Favorable, optimistic	Negative, pessimistic
영어표현	품사	뜻	유의어	반의어

2022년 18번 문제

Dear Mr. Bernstein, My name is Thomas Cobb, the marketing director of Calbary Hospital. Our hospital is planning to hold a charity concert on September 18th in the Main Hall of our hospital. We expect it to be helpful in raising money to cover the medical costs of those in need. To make the concert more special, we want to invite you for the opening of the concert. Your reputation as a pianist is well known, and everyone will be very happy to see your performance. Beautiful piano melodies will help create an enjoyable experience for the audience. We look forward to your positive reply. Sincerely, Thomas A. Cobb

친애하는 버너스타인 씨, 저는 캘바리 병원의 마케팅 담당자인 토마스 코브입니다. 저희 병원은 9월 18일에 병원의 본관 홀에서 자선 음악회를 개최할 계획입니다. 이 음악회가 필요한 사람들의 의료 비용을 지원하는 데 도움이 될 것으로 예상됩니다. 이 음악회를 더욱 특별하게 만들기 위해 음악회 개회식에 여러분을 초대하고자 합니다. 여러분의 피아니스트로서의 명성은 잘 알려져 있으며, 모든 사람들이 여러분의 연주를 보고 매우 기뻐할 것입니다. 아름다운 피아노 음악은 청중에게 즐거운 경험을 제공하는 데 도움이 될 것입니다. 여러분의 긍정적인 회신을 기대합니다.

진심으로,

토마스 A. 코브

영어표현	품사	뜻	유의어	반의어
stepped onto	구동사구	~에 발을 디디다	Entered, walked onto	Exited, stepped off
court	명사	코트, 경기장	Playing field, arena	Off-court, off-field
gotten injured	구동사구	다친 적이 있다	Sustained injuries, been hurt	Remained uninjured, unharmed
froze	동사	얼다, 굳어지다	Became frozen, solidified	Melted, thawed
injury	명사	부상	Harm, damage	Wellness, health
surgery	명사	수술	Operation, procedure	Non-surgical treatment
career	명사	경력, 직업	Profession, occupation	Unemployment, joblessness
completely	부사	완전히	Totally, entirely	Partially, incompletely
disappointed	형용사	실망한	Let down, disheartened	Satisfied, content
anxious	형용사	불안한	Nervous, worried	Calm, relaxed
eager	형용사	간절히 원하는	Enthusiastic, keen	Uninterested, indifferent
ashamed	형용사	부끄러운	Embarrassed, remorseful	Proud, unashamed
indifferent	형용사	무관심한	Unconcerned, apathetic	Interested, concerned
impatient	형용사	성급한	Restless, anxious	Patient, tolerant

As he stepped onto the basketball court, David suddenly thought of the day he had gotten injured last season and froze. He was not sure if he could play as well as before the injury. A serious wrist injury had caused him to miss the rest of the season. Remembering the surgery, he said to himself, "I thought my basketball career was completely over." However, upon hearing his fans' wild cheers, he felt his body coming alive and thought, "For sure, my fans, friends, and family are looking forward to watching me play today." As soon as the game started, he was filled with energy. The first five shots he attempted went in the basket. "I'm back! I got this," he shouted.

농구 코트에 발을 디딜 때, 데이비드는 갑자기 지난 시즌 다친 날을 떠올렸고 얼어붙었습니다. 그는 부상 전과 같은 수준으로 뛸 수 있을지 확신하지 못했습니다. 심각한 손목 부상으로 그는 시즌의 나머지를 놓쳤습니다. 수술을 떠올리며, 그는 스스로에게 말했습니다. "내 농구 경력이 완전히 끝난 줄 알았어." 그러나 팬들의 열광적인 환호를 듣자마자, 그는 몸이 다시 살아나는 것을 느꼈고, "확실히, 오늘 나를 경기하는 것을 기다리는 팬, 친구, 가족이 있다"고 생각했습니다. 게임이 시작되자마자, 그는 에너지로 가득 찼습니다. 그가 시도한 첫 다섯 개의 슛은 모두 골대 안에 들어갔습니다. "나 돌아왔어! 내가 이겼어," 그가 외쳤습니다.

영어표현	품사	뜻	유의어	반의어
sure solutions	명사구	확실한 해결책	Definite answers, certain solutions	Uncertainties, doubts
advertise	동사	광고하다	Promote, publicize	Conceal, hide
replace	동사	대체하다	Substitute, exchange	Retain, keep
branch	명사	지점, 분기	Subsidiary, division	Main, central
particular	형용사	특정한	Specific, individual	General, common
batch	명사	일괄 생산량	Group, set	Individual, single
content	명사	내용	Substance, material	Empty, void
method	명사	방법, 방식	Approach, technique	Disorder, chaos
configuration	명사	형태, 구성	Arrangement, setup	Disarray, disorganization
accomplish	동사	성취하다	Achieve, fulfill	Fail, fall short
appreciatively	부사	감사하게	Gratefully, thankfully	Unappreciatively, ungratefully
nonviolently	부사	비폭력적으로	Peacefully, without violence	Violently, aggressively
영어표현	품사	뜻	유의어	반의어
	명사구	확실한 해결책		
		광고하다	Promote, publicize	Conceal, hide

2022년 20번 문제

We live in a time when everyone seems to be looking for quick and sure solutions. Computer companies have even begun to advertise ways in which computers can replace parents. They are too late —television has already done that. Seriously, however, in every branch of education, including moral education, we make a mistake when we suppose that a particular batch of content or a particular teaching method or a particular configuration of students and space will accomplish our ends. The answer is both harder and simpler. We, parents and teachers, have to live with our children, talk to them, listen to them, enjoy their company, and show them by what we do and how we talk that it is possible to live appreciatively or, at least, nonviolently with most other people.

우리는 빠르고 확실한 해결책을 찾는 것처럼 보이는 시대에 살고 있습니다. 컴퓨터 회사들은 심지어 컴퓨터가 부모를 대신할 수 있는 방법을 광고하기 시작했습니다. 하지만 그들은 이미 늦었습니다. 텔레비전이 이미 그 역할을 했기 때문입니다. 그러나 심각하게 말하자면, 도덕 교육을 포함한 교육의 모든 분야에서 특정 콘텐츠, 특정 교육 방법 또는 특정 학생 및 공간 구성이 우리의 목표를 달성할 것으로 생각하는 것은 실수입니다. 답은 더 어렵고 더 간단합니다. 우리 부모와 교사는 우리 자녀와 함께 살아야 하며, 그들과 대화하고, 그들을 듣고, 그들과 함께 시간을 보내며, 우리가 하는 일과 우리의 말투로 보여줘야 합니다. 대부분의 다른 사람들과 살아가는 것이 감사함이나, 적어도 폭력을 가하지 않는 것이 가능하다는 것을요.

영어표현	품사	뜻	유의어	반의어
nation	명사	국가	Country, state	Region, locality
governance	명사	통치	Rule, control	Anarchy, chaos
administration	명사	행정	Management, organization	Disorganization, mismanagement
keep orders	관용구	질서를 지키다	Maintain order, uphold discipline	Disrupt order, create chaos
administrative	형용사	행정의	Managerial, organizational	Non-administrative, non-managerial
urban	형용사	도시의	City, metropolitan	Rural, countryside
institutions	명사	기관	Organizations, establishments	Disorganizations, non-establishments
citizenry	명사	시민들	Citizens, residents	Aliens, foreigners
taxation	명사	세금징수	Tax collection, revenue generation	Tax exemption, tax reduction
maintenance	명사	유지, 보수	Upkeep, preservation	Neglect, abandonment
utilities	명사	공공시설	Services, facilities	Disruptions, inadequacies
waste management	명사구	폐기물 관리	Disposal of waste, garbage management	Waste pollution, mismanagement
displaced	형용사	이동된, 이재자의	Evacuated, relocated	Stationary, settled
substitute	명사/동사	대체물/대체하다	Replacement, alternative	Original, genuine
provider	명사	제공자	Supplier, giver	Recipient, consumer
consequentially	부사	그 결과로	Consequently, as a result	Inconsequently, without consequence
philosophical	형용사	철학적인	theoretical	Practical, pragmatic
urban-based	형용사	도시 기반의	City-centered, metropolitan	Rural-based, countryside-centered
society	명사	사회	Community, population	Isolation, individuality
attitude	명사	태도	Approach, mindset	Apathy, indifference
responsibility	명사	책임	Duty, obligation	Irresponsibility, neglect
diminishing	형용사	감소하는	Decreasing, declining	Increasing, growing

2022년 24번 문제

The world has become a nation of laws and governance that has introduced a system of public administration and management to keep order. With this administrative management system, urban institutions of government have evolved to offer increasing levels of services to their citizenry, provided through a taxation process and/or fee for services (e.g., police and fire, street maintenance, utilities, waste management, etc.). Frequently this has displaced citizen involvement. Money for services is not a replacement for citizen responsibility and public participation. Responsibility of the citizen is slowly being supplanted by government being the substitute provider. Consequentially, there is a philosophical and social change in attitude and sense of responsibility of our urban-based society to become involved. The sense of community and associated responsibility of all citizens to be active participants is therefore diminishing. Governmental substitution for citizen duty and involvement can have serious implications. This impedes the nations of the world to be responsive to natural and man-made disasters as part of global preparedness.

세계는 질서를 유지하기 위한 공공 행정 및 관리 시스템을 도입한 법과 지배의 나라가 되었습니다. 이 행정 관리 시스템을 통해 도시 정부 기관은 세금 과정 및/또는 서비스 요금을 통해 시민들에게 더 많은 수준의 서비스를 제공하기 위해 발전해 왔습니다 (예: 경찰 및 소방, 도로 유지보수, 공공시설, 폐기물 관리 등). 이로 인해 종종 시민 참여가 제쳐지고 있습니다. 서비스를 위한 돈은 시민의 책임과 공공 참여를 대체할 수 없습니다. 시민의 책임은 정부가 대신 서비스를 제공하는 것으로 천천히 치환되고 있습니다. 그 결과로, 도시 기반 사회의 태도와 책임감이 변화하고 있습니다. 모든 시민들의 공동체 의식과 관련된 책임감이 감소하고 있습니다. 정부가 시민의 의무와 참여를 대신하는 것은 심각한 함의를 가질 수 있습니다. 이는 세계 각국이 전염병 및 인위적 재해에 대비하기 위한 글로벌 대응의 일환으로 반응하는 것을 방해할 수 있습니다.

영어표현	품사	뜻	유의어	반의어
solar	형용사	태양의	Sun-related, solar	Non-solar, lunar
industry	명사	산업	Business sector	Non-industry, agriculture
ranked	동사	순위에 오른	Positioned, placed	Unranked, not placed
corresponding	형용사	해당하는	Matching, equivalent	Unrelated, different
period	명사	기간	Time span, duration	Instant, moment
exhibited	동사	전시된	Displayed, showcased	Concealed, hidden
regarding	전치사	~에 관하여	Concerning, about	Disregarding, ignoring
displaying	형용사	전시하는	Exhibiting, showing	Concealing, hiding
영어표현	품사	뜻	유의어	반의어
significant	형용사	중요한	Important, notable	Insignificant, trivial
coal	명사	석탄	Mineral, fossil fuel	Renewable energy, alternative fuel
miner	명사	광부	Excavator, digger	Owner, manager
talent	명사	재능	Ability, skill	Inability, incompetence
volunteered	동사	자원봉사하다	Offered, contributed	Withheld, refused
sculptures	명사	조각품	Carvings, statues	Flat art, paintings
earn	동사	벌다	Gain, acquire	Lose, forfeit
degree	명사	학위	Diploma, certification	Uneducated, non-degreed
established	형용사	성립된	Founded, created	Dismantled, dissolved
present	동사	제시하다	Offer, provide	Conceal, hide
foundation	명사	기반	Base, groundwork	Instability, insecurity
promotion	명사	승진	Advancement, elevation	Demotion, degradation

2022년 25번 문제

The table above shows seven U.S. states ranked by the number of workers added in the solar industry between 2015 and 2020, and provides information on the corresponding growth percentage in each state. During this period, Florida, which ranked first with regard to the number of workers added, exhibited 71% growth. The number of workers added in Utah was more than twice the number of workers added in Minnesota. Regarding Texas and Virginia, each state showed less than 50% growth. New York added more than 1,900 workers, displaying 24% growth. Among these seven states, Pennsylvania added the lowest number of workers during this period.

위의 표는 2015년부터 2020년까지 태양 에너지 산업에 추가된 노동자 수에 따라 순위 매겨진 미국 7개 주를 보여주며, 각 주별 대응하는 성장률 정보를 제공합니다. 이 기간 동안 노동자 수 증가 측면에서 첫 번째로 순위를 차지한 플로리다는 71%의 성장을 나타냈습니다. 유타에 추가된 노동자 수는 미네소타에 추가된 노동자 수보다 두 배 이상이었습니다. 텍사스와 버지니아에 대해서는 각각 50% 미만의 성장을 보였습니다. 뉴욕은 1,900명 이상의 노동자를 추가하여 24%의 성장을 보였습니다. 이 7개 주 중에서 펜실베니아는 이 기간 동안 가장 낮은 수의 노동자를 추가했습니다.

2022년 26번 문제

Henry Moore (1898—1986), one of the most significant British artists of the 20th century, was the seventh child of a coal miner. Henry Moore showed a talent for art from early on in school. After World War I, during which he volunteered for army service, Moore began to study sculpture at the Leeds School of Art. Then, he entered the Royal College of Art in London and earned his degree there. His sculptures, known around the world, present the forms of the body in a unique way. One of his artistic themes was mother-and-child as shown in Madonna and Child at St. Matthew's Church in Northampton. He achieved financial success from his hard work and established the Henry Moore Foundation to support education and promotion of the arts.

헨리 무어(1898—1986)는 20세기 영국에서 가장 중요한 예술가 중 한 명으로, 석탄 광부의 일곱 번째 자식이었습니다. 헨리 무어는 학창시절부터 미술에 재능을 보였습니다. 제1차 세계 대전 이후, 그는 군 복무를 위해 자원 봉사하고 나서 리즈 예술 학교에서 조각을 공부하기 시작했습니다. 그 후에는 런던 로열 아카데미로 진학하여 거기서 학위를 받았습니다. 세계적으로 알려진 그의 조각 작품은 몸의 형태를 독특한 방식으로 표현합니다. 그의 예술적 주제 중 하나는 매튜 성당의 Madonna and Child에서 보여주는 어머니와 아이였습니다. 헌신적인 노력으로 재정적 성공을 거두었으며, 예술 교육 및 홍보를 지원하기 위해 헨리 무어 재단을 설립했습니다.

영어표현	품사	뜻	유의어	반의어
definitely	부사	확실히	Certainly, absolutely	Doubtfully, uncertainly
entries	명사	참가작품	Submissions, contributions	Absences, non-entries
is awarded	구동사구	수여되다	Is given, is granted	Is withheld, is denied
certificate	명사	증명서, 자격증	Document, diploma	Uncertified, non-credentialed
judging	명사	심사	Assessment, evaluation	Non-judging, non-assessment
contain	동사	포함하다	Include, hold	Exclude, omit
participants	명사	참가자들	Contestants, contributors	Spectators, observers
영어표현	품사	뜻	유의어	반의어
foreign	형용사	외국의	Overseas, international	Domestic, local
available	형용사	이용 가능한	Accessible, obtainable	Unavailable, inaccessible
required	형용사	필요한	Necessary, essential	Optional, unnecessary
registering	명사/동사	등록	Enrollment, sign-up	Unregistering, withdrawal
be refunded	구동사구	환불되다	Be reimbursed, get money back	Be charged, pay
		참가작품	Submissions, contributions	Absences, non-entries
		수여되다		

2022년 27번 문제

2021 Whir Car Drawing Contest for Kids
Theme: Family

Does your child love cars? Take this opportunity for your child to think about what they love and draw it. They will definitely enjoy and learn from this contest!

Details
- Ten entries are chosen, and each is awarded a $50 gift certificate.
- Drawing skills are not considered in judging.

Submission
- Take a photo of your child's drawing.
- Visit our website (www.whircar4kids.com) and upload the photo by October 3.

Note
- The drawing should contain your family and a car.
- Participants must be 3 to 7 years old.

Please visit our website to learn more.

2021 Whir Car Drawing Contest for Kids 주제: 가족

귀하의 자녀가 자동차를 좋아하나요? 이 기회를 이용하여 귀하의 자녀가 자신이 좋아하는 것을 생각하고 그릴 수 있습니다. 이 대회에서 귀하의 자녀는 분명히 즐기고 배우게 될 것입니다!

세부 사항
· 엔트리 10개가 선정되며 각각 50달러 상품권이 수여됩니다.
· 그림 실력은 심사에 고려되지 않습니다.

제출 방법
· 귀하의 자녀의 그림을 찍으세요.
· 당사 웹사이트(www.whircar4kids.com)를 방문하고 10월 3일까지 사진을 업로드하세요.

참고
· 그림에는 귀하의 가족과 자동차가 포함되어야 합니다.
· 참가자는 3세에서 7세여야 합니다. 자세한 내용은 당사 웹사이트를 방문해 주세요.

2022년 28번 문제

Mary High School Foreign Language Program

Would you like to learn about another culture? Learning a new language is the best way to do it. Please come and enjoy our new foreign language classes.

Languages: Arabic, French, Spanish (A student can choose only one.)

Dates and Times: September 13, 2021 − October 29, 2021
Monday to Friday, 4:00 p.m. − 6:00 p.m.

Registration: Available from September 1 to September 5 on our website (www.maryhighs.edu)

Tuition Fee: $50 (Full payment is required when registering.)

Refund Policy: If you cancel on or before September 5, your payment will be refunded.

For more information about the classes, feel free to contact us at (215) 8393-6047 or email us at info@maryhighs.edu.

Mary High School 외국어 프로그램

다른 문화에 대해 배우고 싶으신가요? 새로운 언어를 배우는 것이 가장 좋은 방법입니다. 저희 새로운 외국어 수업에 오셔서 즐겁게 배우세요.

언어: 아랍어, 프랑스어, 스페인어 (학생은 한 가지만 선택할 수 있습니다.)

날짜 및 시간: 2021년 9월 13일 — 10월 29일

월요일부터 금요일까지, 오후 4:00 — 오후 6:00

등록: 9월 1일부터 9월 5일까지 당사 웹사이트(www.maryhighs.edu)에서 가능합니다.

수업료: $50 (등록 시 전액 결제가 필요합니다.)

환불 정책: 9월 5일 이전에 취소하시면 결제가 환불됩니다.

수업에 관한 자세한 정보는 (215) 8393-6047로 전화하시거나 info@maryhighs.edu로 이메일 주세요.

영어표현	품사	뜻	유의어	반의어
accepting	형용사	수용하는	Welcoming, embracing	Rejecting, refusing
pays off	구동사구	성과를 거두다	Yields results, is rewarding	Fails, is unproductive
correspond to	구동사구	~에 해당하다	Match, align with	Differ from, deviate from
commonality	명사	공통성	Shared characteristic, similarity	Difference, dissimilarity
pregnant	형용사	임신한	Expecting, with child	Non-pregnant, not expecting
mistrust	명사/동사	불신, 불신하다	Distrust, suspicion	Trust, confidence
signal	명사/동사	신호, 신호하다	Indication, sign	Conceal, hide
adversarial	형용사	적대적인	Hostile, antagonistic	Friendly, cooperative
relationships	명사	관계, 인간관계	Connections, associations	Estrangements, disconnections
prey	명사/동사	먹잇감, 사냥하다	Victim, target	Predator, hunter
convince	동사	납득시키다	Persuade, influence	Dissuade, deter
predator	명사	포식자	Hunter, carnivore	Prey, herbivore
chase	동사	추적하다, 뒤쫓다	Pursue, follow	Retreat, withdraw
guarantees	명사/동사	보증, 보장하다	Assurances, promises	Uncertainties, doubts
better off	형용사	더 나은 상태에 있는	In a better condition, improved	Worse off, deteriorated
maintained	동사	유지되다	Preserved, sustained	Neglected, abandoned
cognitive	형용사	인지의	Mental, intellectual	Non-cognitive, non-intellectual
mechanism	명사	메커니즘, 기구	Device, apparatus	Organic, natural
evaluate	동사	평가하다	Assess, judge	Ignore, overlook
to be open	관용구	개방적이다	Open-minded, receptive	Closed-minded, narrow-minded
rejecting	형용사	거절하는	Refusing, declining	Accepting, embracing
harmful	형용사	해로운	Damaging, detrimental	Beneficial, advantageous

Accepting whatever others are communicating only pays off if their interests correspond to ours —think cells in a body, bees in a beehive. As far as communication between humans is concerned, such commonality of interests is rarely achieved; even a pregnant mother has reasons to mistrust the chemical signals sent by her fetus. Fortunately, there are ways of making communication work even in the most adversarial of relationships. A prey can convince a predator not to chase it. But for such communication to occur, there must be strong guarantees which those who receive the signal will be better off believing it. The messages have to be kept, on the whole, honest. In the case of humans, honesty is maintained by a set of cognitive mechanisms that evaluate communicated information. These mechanisms allow us to accept most beneficial messages —to be open —while rejecting most harmful messages —to be vigilant.

다른 사람들이 전달하는 것을 받아들이는 것은 그들의 관심사가 우리의 것과 일치할 때에만 이득을 줍니다. —세포들이 몸 속에서, 벌들이 벌집 안에서 하는 것처럼 말이죠. 인간 간의 의사 소통에 관해서는, 이러한 공통적인 이해관계를 이루는 것은 드뭅니다; 심지어 임신한 어머니조차도 태아가 보내는 화학 신호를 의심할 이유가 있습니다. 다행히도, 가장 적대적인 관계에서도 의사 소통을 할 수 있는 방법이 있습니다. 먹이는 포식자에게 그녀를 쫓지 않도록 설득할 수 있습니다. 그러나 이러한 의사 소통이 이루어지려면, 신호를 받는 사람들이 그것을 믿어야 하는 강력한 보증이 있어야 합니다. 메시지는 전반적으로 진실해야 합니다. 인간의 경우에는, 진실은 전달된 정보를 평가하는 일련의 인지 메커니즘에 의해 유지됩니다. 이러한 메커니즘은 대부분의 유익한 메시지를 받아들일 수 있게 해주며 —개방적이게 해줍니다— 동시에 대부분의 해로운 메시지를 거부할 수 있게 해줍니다 —경계심을 가질 수 있게 해줍니다.

영어표현	품사	뜻	유의어	반의어
theoretical	형용사	이론적인	Abstract, conceptual	Practical, applied
perspectives	명사	시각, 관점	Views, angles	Narrow views, limited perspectives
provide	동사	제공하다	Offer, supply	Withhold, deprive
insight	명사	통찰력	Understanding, perception	Ignorance, unawareness
immigration	명사	이민	Migration, relocation	Emigration, departure
economics	명사	경제학	Economic science, finance	-
assumed	형용사	가정된	Presumed, supposed	Verified, confirmed
individuals	명사	개인들	Persons, people	Groups, communities
rational	형용사	합리적인	Logical, reasonable	Irrational, unreasonable
actors	명사	행위자들	Participants, performers	Observers, bystanders
decision	명사	결정	Choice, determination	Indecision, hesitation
based on	관용구	~에 근거한	Grounded in, derived from	Unrelated to, not influenced by
assessment	명사	평가	Evaluation, appraisal	Neglect, disregard
remaining	형용사	나머지	Leftover	Used up, consumed
given	전치사	~를 감안하면	Considering, taking into account	Ignoring, disregarding
monetary	형용사	통화의, 금전의	Financial, economic	Non-monetary, non-financial
expression	명사	표현	Representation, manifestation	Suppression, concealment
financial	형용사	금융의	Economic, fiscal	Non-financial, non-economic
tend to	구동사	~하는 경향이 있다	Incline, lean toward	Resist, avoid
show off	구동사	자랑하다	boast	Conceal, downplay
status	명사	지위	Position, rank	Inferiority, low status
purchasing	명사/형용사	구매, 구입	Buying, procurement	Selling, selling-related
uncertainty	명사	불확실성	Ambiguity, doubt	Certainty, assurance
difficulty	명사	어려움	Challenge, hardship	Ease, simplicity
expense	명사	비용	Cost, expenditure	Savings, frugality
adapting	동사	적응하는	Adjusting, accommodating	Resisting, opposing
associated	형용사	연관된	Linked, connected	Unrelated, separate
separation	명사	분리	Division, disconnection	Unity, integration
be taken into account	관용구	고려되다	Be considered, be factored in	Be disregarded, be ignored

A variety of theoretical perspectives provide insight into immigration. Economics, which assumes that actors engage in utility maximization, represents one framework. From this perspective, it is assumed that individuals are rational actors, i.e., that they make migration decisions based on their assessment of the costs as well as benefits of remaining in a given area versus the costs and benefits of leaving. Benefits may include but are not limited to short-term and long-term monetary gains, safety, and greater freedom of cultural expression. People with greater financial benefits tend to use their money to show off their social status by purchasing luxurious items. Individual costs include but are not limited to the expense of travel, uncertainty of living in a foreign land, difficulty of adapting to a different language, uncertainty about a different culture, and the great concern about living in a new land. Psychic costs associated with separation from family, friends, and the fear of the unknown also should be taken into account in cost-benefit assessments. *

다양한 이론적 시각이 이민에 대한 통찰력을 제공합니다. 유틸리티 최대화를 가정하는 경제학은 한 가지 프레임워크를 대표합니다. 이 관점에서는 개인들이 합리적인 행위자로 가정되며, 즉, 그들이 주어진 지역에 남는 것과 떠나는 것의 비용과 이익을 평가하여 이민 결정을 내린다고 가정됩니다. 혜택은 단기 및 장기적인 금전적 이익뿐만 아니라 안전 및 문화적 표현의 자유도 포함될 수 있습니다. 더 많은 금전적 이익을 얻은 사람들은 사치스러운 물품을 구입하여 사회적 지위를 드러내는 경향이 있습니다. 개인 비용에는 여행 경비, 외국에서의 생활 불확실성, 다른 언어에 적응하는 어려움, 다른 문화에 대한 불확실성 및 새로운 땅에서의 생활에 대한 큰 걱정 등이 포함될 수 있습니다. 가족, 친구와의 이별과 미지의 두려움과 관련된 심리적 비용도 비용-혜택 평가에 고려되어야 합니다

영어표현	품사	뜻	유의어	반의어
chopping	동사	다지는	Cutting, slicing	Assembling, preserving
wooden	형용사	나무의	Timber, woody	Metal, plastic
notice	명사/동사	통지, 주목	Notification, attention	Ignore, overlook
preparing	동사	준비하는	Getting ready, organizing	Neglecting, disregarding
stirring	동사	휘젓는	Mixing, blending	Stopping, stilling
aspects	명사	측면, 면	Facets, features	Whole, entirety
alter	동사	변경하다	Change, modify	Maintain, keep
visibly	부사	눈에 띄게	Noticeably, perceptibly	Invisibly, imperceptibly
frustrated	형용사	좌절한	Disheartened, disappointed	Satisfied, content
throw away	구동사구	버리다	Discard, dispose of	Keep, retain
curious	형용사	호기심 많은	Inquisitive, interested	Indifferent, apathetic
container	명사	그릇	Receptacle, vessel	Content, emptiness
refrigerator	명사	냉장고	Fridge, cooler	Oven, heater
brightly	부사	밝게	Radiantly, vividly	Dimly, faintly
properly	부사	적절히	Correctly, appropriately	Improperly, inadequately
considering	전치사	~을 고려하여	Taking into account, thinking about	Ignoring, disregarding
recalling	명사/동사	회상, 상기	Remembering, recollecting	Forgetting, neglecting
ingredients	명사	재료	Components, elements	Final product, end result

2022년 43-45번 문제

When Sally came back home from her photography class, she could hear Katie moving around, chopping things on a wooden cutting board. Wondering what her roommate was doing, (a) she ran to the kitchen. Sally watched Katie cooking something that looked delicious. But Katie didn't notice her because she was too focused on preparing for her cooking test the next day. She was trying to remember what her professor had said in class that day

In that class, Professor Brown said, "You have to present your food properly, considering every stage of the dining experience. Imagine you are a photographer." Recalling what the professor had mentioned, Katie said to herself, "We need to see our ingredients as colors that make up a picture." Sally could clearly see that Katie was having a hard time preparing for her cooking test. Trying to make (e) her feel better, Sally kindly asked, "Is there anything I can do to help?"

Katie, surprised by her roommate's words, turned her head to Sally and sighed, "I don't know. This is really hard." Stirring her sauce for pasta, Katie continued, "Professor Brown said that visual aspects make up a key part of a meal. My recipe seems good, but I can't think of any ways to alter the feeling of the final dish." Visibly frustrated, (b) she was just about to throw away all of her hard work and start again, when Sally suddenly stopped her.

"Wait! You don't have to start over. You just need to add some color to the plate." Being curious, Katie asked, "How can (c) I do that?" Sally took out a container of vegetables from the refrigerator and replied, "How about making colored pasta to go with (d) your sauce?" Smiling, she added, "It's not that hard, and all you need are brightly colored vegetables to make your pasta green, orange, or even purple." Katie smiled, knowing that now she could make her pasta with beautiful colors like a photographer.

샐리가 사진 수업에서 집에 돌아왔을 때, 케이티가 부엌에서 뭔가를 썰고 있는 소리가 들렸다. 룸메이트가 무엇을 하고 있는지 궁금해졌기에 (a) 부엌으로 달려갔다. 샐리는 케이티가 맛있어 보이는 음식을 요리하고 있는 것을 지켜보았다. 하지만 케이티는 다음 날의 요리 시험 준비에 집중해서 그녀를 못 봤다. 그녀는 그 날 수업에서 교수님이 말한 것을 기억하려고 노력했다.

수업에서 브라운 교수님이 말했듯이, "음식을 제대로 제시해야 하며, 식사 경험의 각 단계를 고려해야 합니다. 당신이 사진작가라고 상상해보세요." 교수님이 언급한 것을 떠올리며, 케이티는 스스로에게 말했다. "우리는 재료를 그림을 이루는 색깔로 보아야 합니다." 샐리는 케이티가 요리 시험 준비에 어려움을 겪고 있다는 것을 분명히 알았다. (e) 그녀를 더 나게 만들기 위해, 샐리는 친절하게 물었다. "도와줄 수 있는 게 있을까요?"

샐리의 말에 놀라운 케이티는 샐리를 바라보며 한숨을 내쉬었다. "모르겠어요. 정말 어려워요." 파스타 소스를 저어가며, 케이티는 계속 말했다. "브라운 교수님은 시각적 요소가 식사의 주요 부분을 이룬다고 말씀하셨어요. 내 요리는 괜찮아 보이지만, 최종 요리의 느낌을 변경할 방법을 생각해 내지 못하겠어요." 분명히 좌절한 케이티는 (b) 그녀의 모든 노력을 포기하고 다시 시작하려고 했지만, 샐리가 갑자기 멈추었다.

"기다려! 다시 시작할 필요 없어요. 단지 접시에 색깔을 추가하면 돼요." 궁금해하는 케이티가 물었다. "(c) 어떻게 그럴 수 있나요?" 샐리는 냉장고에서 채소를 꺼내며 대답했다. "(d) 당신의 소스와 함께 색깔 있는 파스타를 만들어 보는 게 어떨까요?" 그녀는 미소 지으며 덧붙였다. "그렇게 어렵지 않아요, 그리고 당신이 필요한 건 밝은 색의 채소뿐이에요. 파스타를 녹색, 주황색 또는 심지어 보라색으로 만들 수 있어요." 케이티는 이제 사진작가처럼 아름다운 색상으로 파스타를 만들 수 있을 것이라는 것을 알아서 미소 지었다.

시간이 소중한 당신을 위한

2022년 수능

수능의, 수능에 의한, 수능만을 위한
199개의 단어

2022년 여기까지 달려온 당신
수능을 잘 볼 자격이 있습니다!

2022년 수능 3교시 영어영역
오답률이 가장 높은 15개 문제의 분석

[오답률 높은 순]

오답률 80%이상	오답률 60%이상	20% 이상이 선택	40% 이상이 선택

					2022년				
					수능				
순위	문항 번호	오답률	배점	정답	선택지별 비율				
					①	②	③	④	⑤
1	38	74.9	2	5	5.6	13.7	18.9	34.1	25.1
2	34	72.7	3	2	28.6	27.3	20.7	11.2	9.7
3	21	71	3	2	16.7	29	13.1	27.8	11.3
4	32	66.6	2	5	22.9	23.3	8.9	9	33.4
5	30	60.8	2	3	6.6	7.6	39.2	33.3	10.8
6	24	58.6	2	1	41.4	12.5	8.3	22.8	12.6
7	39	57.5	3	4	6	10.3	24	42.5	14.6
8	33	56.6	3	1	43.4	25.7	8.8	12.1	7.6
9	29	54.8	3	4	6.1	22.7	10.3	45.2	13.4
10	42	52.6	2	3	5.1	7	47.4	15.9	21.9
11	31	50.2	2	1	49.8	26.9	9.6	6.2	5
12	41	48.7	2	2	18.1	51.3	7	8.5	12.5
13	37	46.8	3	5	4.3	13.2	11.6	15.1	53.2
14	40	43.1	2	1	56.9	15.2	5.1	12.5	7.7
15	36	40	2	2	4.1	60	13.8	11.6	7.9

[문제 순서 순]

					2022년				
					6월				
순위	문항 번호	오답률	배점	정답	선택지별 비율				
					①	②	③	④	⑤
3	21	71	3	2	16.7	29	13.1	27.8	11.3
6	24	58.6	2	1	41.4	12.5	8.3	22.8	12.6
9	29	54.8	3	4	6.1	22.7	10.3	45.2	13.4
5	30	60.8	2	3	6.6	7.6	39.2	33.3	10.8
11	31	50.2	2	1	49.8	26.9	9.6	6.2	5
4	32	66.6	2	5	22.9	23.3	8.9	9	33.4
8	33	56.6	3	1	43.4	25.7	8.8	12.1	7.6
2	34	72.7	3	2	28.6	27.3	20.7	11.2	9.7
15	36	40	2	2	4.1	60	13.8	11.6	7.9
13	37	46.8	3	5	4.3	13.2	11.6	15.1	53.2
1	38	74.9	2	5	5.6	13.7	18.9	34.1	25.1
7	39	57.5	3	4	6	10.3	24	42.5	14.6
14	40	43.1	2	1	56.9	15.2	5.1	12.5	7.7
12	41	48.7	2	2	18.1	51.3	7	8.5	12.5
10	42	52.6	2	3	5.1	7	47.4	15.9	21.9

2022년 수능은 한 문장으로 말하자면 "완벽한 밸런스"이었습니다. 그리고 기본기의 승리였습니다. 2022년에 영어 1등급을 받은 학생은 6.25%입니다. 정답률 30% 이상이 되는 문제는 5개밖에 되지 않습니다. 이 5개중 1개를 반드시 맞춰야 1등급이 될 수 있었습니다. 조건은 다른 곳에서 실수하지 않았다는 것을 전제로 합니다.

2등급 학생들에게 있어서 2022년 수능은 '솔직한 시험'이었습니다. 자신의 실력에서 요행을 바랄 수 없고, 틀리지 않을 문제들 역시 정확히 틀리지 않았을 것입니다. 앞서 말한 정답률 30%대의 문제 5개를 다 틀렸다고 하더라도, 심지어 3~4개 정도 실수를 하더라도 2등급을 방어할 수 있는 시험이었습니다. 그러니 2등급학생들에게 있어서 이번 시험은 아주 솔직한 시험이었을 것입니다.

3등급과 중하위권 학생들에게 있어서 이번 시험은 축복이었습니다. 엄청 어려운 문제가 나오지 않았을 뿐더러 대부분의 문제들의 정답률이 60%대였습니다. 50%대의 문제들 몇 개만 맞추면 쉽게 3등급을 받을 수 있는 시험이었습니다. 때문에 자신의 실력보다 좀 더 높은 점수를 받았을 것입니다. 원래는 3등급이 안 될 학생들 역시 이번 시험에서는 3등급을 받았을 확률이 높습니다.

사실 제일 중요한 것은 여러분이 보는 시험입니다. 2025년 수능 영어시험은 어떻게 될 것인가? 감히 말씀드리자면 2025년은 불수능이 될 것입니다. 고교학점제와 수능통폐합, 그리고 심화수학과목 철폐로 수능의 변별력을 잃었다고 상위권 대학 입학처들이 말하고 있습니다. 평가원은 그들의 목소리를 반영해서 수능이 여전히 건재하다는 것을 보여줄 것입니다. 그러기 위해서는 상위권 변별력 문제를 대거 낼 것입니다. 물론 이것이 3등급을 목표로 하는 학생들에게 해당사항이 없는 이야기입니다. 그럼에도 불구하고 말씀드리는 것은, 여러분이 3등급에서 멈추지 않기를 바라기 때문입니다. 이 단어집을 통해서 평가원 문제들 평가원 단어들에 익숙해졌다면 장담합니다. 지금까지 했던 것만큼 한 번만 더 하면 상위권 점수를 얻는 것이 불가능하지 않습니다. 이것을 위해서 후속책 <시간이 소중한 당신을 위한 영문법>, <시간이 소중한 당신을 위한 구문독해>를 준비중에 있습니다. 여러분의 시간을 아끼고 에너지를 효율적으로 쓸 수 있게 만들어 드리겠습니다. 여러분 지치지 마세요. 2025년 청룡의 해, 파이팅입니다!

영어표현	품사	뜻	유의어	반의어
impressed	형용사	감명받은	Awe-struck, amazed	Unimpressed, indifferent
platforms	명사	플랫폼	-	-
expert	명사/형용사	전문가, 전문적인	Specialist, professional	Novice, amateur
education	명사	교육	Learning, schooling	Ignorance, lack of education
deliver	동사	전달하다	Present, convey	Withhold, keep
lecture	명사/동사	강의, 강의하다	Talk, discourse	Listen, attend
scheduled	형용사	일정에 따른	Planned, arranged	Unscheduled, impromptu
manage	동사	처리하다	Handle, oversee	Mismanage, mishandle
insight	명사	통찰력	Understanding, perception	Ignorance, unawareness
영어표현	품사	뜻	유의어	반의어
impressed	형용사	감명받은	Awe-struck, amazed	Unimpressed, indifferent
platforms	명사	플랫폼		
expert	명사/형용사	전문가, 전문적인	Specialist, professional	Novice, amateur

Dear Ms. Green, My name is Donna Williams, a science teacher at Rogan High School. I am planning a special workshop for our science teachers. We are interested in learning how to teach online science classes. I have been impressed with your ideas about using internet platforms for science classes. Since you are an expert in online education, I would like to ask you to deliver a special lecture at the workshop scheduled for next month. I am sure the lecture will help our teachers manage successful online science classes, and I hope we can learn from your insights. I am looking forward to hearing from you. Sincerely, Donna Williams

친애하는 그린 선생님, 저는 로간 고등학교의 과학 교사인 도나 윌리엄스입니다. 저희는 온라인 과학 수업을 가르치는 방법을 배우고자 하는 특별한 워크샵을 계획 중입니다. 저는 그린 선생님께서 인터넷 플랫폼을 활용한 과학 수업에 대한 아이디어에 감명을 받았습니다. 그린 선생님께서는 온라인 교육 분야의 전문가이기 때문에, 다음 달에 예정된 워크샵에서 특별 강의를 진행해 주실 것을 부탁드립니다. 저는 그 강의가 저희 교사들이 성공적인 온라인 과학 수업을 운영하는 데 도움이 될 것으로 확신하며, 그린 선생님의 통찰력을 배우기를 기대합니다. 답변을 기다리고 있겠습니다.

진심으로, 도나 윌리엄스

영어표현	품사	뜻	유의어	반의어
explore	동사	탐험하다	Investigate, discover	Avoid, ignore
amateur	명사/형용사	아마추어, 비전문가	Novice, non-professional	Expert, professional
famous	형용사	유명한	Well-known, renowned	Unknown, obscure
numerous	형용사	많은	Many, countless	Few, scarce
dinosaur	명사	공룡	Prehistoric reptile, giant lizard	Modern creature
fossils	명사	화석	-	Living organisms
bone-hunter	명사	골고루 수집가	Fossil collector	-
overflowing	형용사	넘치는	Abundant, brimming	Empty, lacking
anticipation	명사	기대	Expectation, excitement	Indifference, apathy
species	명사	종	Category, group	Individual, single
eagerly	부사	간절히	Keenly, eagerly	Reluctantly, unwillingly
wandering	동사	배회하다	Roaming	Stationary, fixed
throughout	전치사	~동안 내내	All over, everywhere	Locally, in one place
deserted	형용사	버려진, 사람이 적은	Abandoned, uninhabited	Populated, crowded
darkening	형용사	어두워지는	Dimming, fading	Brightening, illuminating
beyond	전치사	저편에, 너머에	Further than, surpassing	Within, inside
confused	형용사	혼란스러운	Disoriented, bewildered	Clear, organized
discouraged	형용사	낙담한	Disheartened, demoralized	Encouraged, motivated
annoyed	형용사	짜증난	Irritated, bothered	Pleased, satisfied
indifferent	형용사	무관심한	Apathetic, unconcerned	Interested, concerned
depressed	형용사	우울한	Sorrowful, downcast	Joyful, elated

It was Evelyn's first time to explore the Badlands of Alberta, famous across Canada for its numerous dinosaur fossils. As a young amateur bone-hunter, she was overflowing with anticipation. She had not travelled this far for the bones of common dinosaur species. Her life-long dream to find rare fossils of dinosaurs was about to come true. She began eagerly searching for them. After many hours of wandering throughout the deserted lands, however, she was unsuccessful. Now, the sun was beginning to set, and her goal was still far beyond her reach. Looking at the slowly darkening ground before her, she sighed to herself, "I can't believe I came all this way for nothing. What a waste of time!"

이블린은 알버타의 배드랜드를 탐험하는 것이 처음이었습니다. 이 지역은 수많은 공룡 화석으로 유명하여 캐나다 전역에서 알려져 있습니다. 청년 아마추어 공룡 뼈 사냥꾼으로서 그녀는 기대에 넘쳤습니다. 그녀는 일반적인 공룡종의 뼈를 찾기 위해 이렇게 멀리 여행한 적이 없었습니다. 드문 공룡 화석을 찾는 평생의 꿈이 이루어질 찬스가 왔다는 생각에 기대가 되었습니다. 열심히 찾기 시작했습니다. 그러나 많은 시간이 지나도록 황량한 땅을 배회한 후에도 성공하지 못했습니다. 이제 해가 서서히 질 때쯤이었고, 그녀의 목표는 여전히 먼 곳에 있었습니다. 그녀는 앞에 점점 어두워지는 땅을 바라보며 한숨을 내쉬었습니다. "이렇게 멀리 왔는데 아무 것도 찾지 못했다니 믿기지가 않아요. 시간 낭비였어요!"

영어표현	품사	뜻	유의어	반의어
organizations	명사	기관들	Groups, associations	Individuals, solo
consider	동사	고려하다	Contemplate, think about	Disregard, ignore
experimenting	동사	실험하는	Testing, trying out	Settling, sticking to
social	형용사	사회적인	Societal, communal	Individual, personal
media	명사	미디어	Communication outlets	Private communication
objectives	명사	목표들	Goals, aims	Non-goals, non-aims
reality	명사	현실	Actuality, real world	Fantasy, imagination
creating	명사/동사	창조, 창작	Formation, production	Destruction, elimination
insight	명사	통찰력	Understanding, perception	Ignorance, unawareness
latest	형용사	최신의	Newest, most recent	Outdated, old-fashioned
merely	부사	단순히	Only, just	Significantly, substantially
fulfillment	명사	성취, 만족	Achievement, satisfaction	Dissatisfaction, frustration
vague	형용사	모호한	Unclear, ambiguous	Clear, definite
presence	명사	존재	Existence, being	Absence, non-existence
popular	형용사	인기 있는	Well-liked, favored	Unpopular, disliked
else	부사	다른	Other, different	Same, identical
purpose	명사	목적	Goal, aim	Aimlessness, purposelessness
improvement	명사	개선	Enhancement, betterment	Deterioration, decline
sort	명사/동사	종류, 분류하다	Type, category	Disorder, chaos
preferably	부사	가급적이면	Ideally	Undesirably, reluctantly
measurable	형용사	측정 가능한	Quantifiable, observable	Immeasurable, unobservable
purpose	명사	목적	Goal, aim	Aimlessness, purposelessness

One of the most common mistakes made by organizations when they first consider experimenting with social media is that they focus too much on social media tools and platforms and not enough on their business objectives. The reality of success in the social web for businesses is that creating a social media program begins not with insight into the latest social media tools and channels but with a thorough understanding of the organization's own goals and objectives. A social media program is not merely the fulfillment of a vague need to manage a "presence" on popular social networks because "everyone else is doing it." "Being in social media" serves no purpose in and of itself. In order to serve any purpose at all, a social media presence must either solve a problem for the organization and its customers or result in an improvement of some sort (preferably a measurable one). In all things, purpose drives success. The world of social media is no different.

조직이 소셜 미디어를 실험해보기 시작할 때 가장 흔히 범하는 실수 중 하나는 소셜 미디어 도구와 플랫폼에 너무 많은 중점을 두고 자기들의 비즈니스 목표에 충분한 주의를 기울이지 않는 것입니다. 비즈니스에 대한 소셜 웹의 성공적인 현실은 소셜 미디어 프로그램을 만드는 것이 최신 소셜 미디어 도구와 채널에 대한 통찰력으로 시작되는 것이 아니라 조직 자체의 목표와 목적을 철저히 이해하는 것부터 시작된다는 것입니다. 소셜 미디어 프로그램은 "다른 사람들도 그렇게 하니까"라는 인기있는 소셜 네트워크에서 "존재"를 관리하는 모호한 필요성을 충족시키기 위한 것이 아닙니다. "소셜 미디어에 있는 것" 자체로는 목적을 달성하지 못합니다. 소셜 미디어 존재가 조직과 고객에게 문제를 해결하거나 어떤 종류의 개선을 가져다주어야 하며 (가능하면 측정 가능한 것이 좋습니다), 모든 것에서 목적이 성공을 이끌어냅니다. 소셜 미디어의 세계도 예외가 아닙니다.

영어표현	품사	뜻	유의어	반의어
environmental	형용사	환경의	Ecological, ecological	Non-environmental, non-ecological
hazards	명사	위험	Risks, dangers	Safety, security
include	동사	포함하다	Incorporate, involve	Exclude, omit
biological	형용사	생물학적인	Life-related, living	Non-biological, non-living
chemical	형용사	화학적인	molecular	Non-chemical, non-molecular
along with	전치사	~과 함께	Together with, in addition to	Apart from, excluding
human	형용사	인간의	-	Non-human, inhuman
behaviors	명사	행동양식	Actions, conduct	Inactions, passivity
promote	동사	촉진하다	Encourage, boost	Inhibit, discourage
exposure	명사	노출	Contact	Concealment, protection
avoid	동사	피하다	Evade, elude	Confront, face
polluted	형용사	오염된	Contaminated, tainted	Clean, unpolluted
public	형용사	대중의	Common, collective	Private, individual
in these circumstances	관용구	이러한 상황에서	In this situation	under different conditions
involuntary	형용사	자발적이 아닌	Unintentional, automatic	Voluntary, intentional
reduction	명사	감소	Decrease, decline	Increase, rise
elimination	명사	제거	Removal, eradication	Retention, preservation
societal	형용사	사회의	Social, communal	Individual, personal
awareness	명사	인식	Consciousness, perception	Ignorance, unawareness
individual	명사/형용사	개인	Person, single	Collective, group
morally	부사	도덕적으로	Ethically, morally	Immorally, unethically
arsenic	명사	비소	Arsenic, a chemical element	Non-toxic, harmless
passively	부사	수동적으로	Inactively, indifferently	Actively, energetically
breath	명사	숨	Inhalation, respiration	Exhalation, breathlessness
outrages	명사	사악한 행동	offenses	Praises, commendations
factors	명사	요소들	Components, elements	Non-factors, irrelevancies
important	형용사	중요한	Significant, crucial	trivial
considers	동사	고려하다	Thinks about, contemplates	Ignores, disregards
risk	명사	위험	Danger, hazard	Safety, security

Environmental hazards include biological, physical, and chemical ones, along with the human behaviors that promote or allow exposure. Some environmental contaminants are difficult to avoid (the breathing of polluted air, the drinking of chemically contaminated public drinking water, noise in open public spaces); in these circumstances, exposure is largely involuntary. Reduction or elimination of these factors may require societal action, such as public awareness and public health measures. In many countries, the fact that some environmental hazards are difficult to avoid at the individual level is felt to be more morally egregious than those hazards that can be avoided. Having no choice but to drink water contaminated with very high levels of arsenic, or being forced to passively breathe in tobacco smoke in restaurants, outrages people more than the personal choice of whether an individual smokes tobacco. These factors are important when one considers how change (risk reduction) happens.

환경 위험은 생물학적, 물리적 및 화학적 위험뿐만 아니라 노출을 촉진하거나 허용하는 인간 행동도 포함됩니다. 일부 환경 오염물질은 피할 수 없을 정도로 어려울 때가 있습니다(오염된 공기를 들이마시거나 화학적으로 오염된 공공 급수를 마시거나, 공공 공간에서의 소음); 이러한 상황에서는 노출이 대부분 자발적입니다. 이러한 요인의 감소 또는 제거에는 공공 인식 및 공중 보건 조치와 같은 사회적 조치가 필요할 수 있습니다. 많은 나라에서 개인 수준에서 일부 환경 위험이 피할 수 없다는 사실은 피할 수 있는 위험보다 도덕적으로 더 큰 문제로 여겨집니다. 아르센에 오염된 매우 높은 수준의 물을 마셔야 하는 선택의 여지가 없거나, 음식점에서 흡연자들의 담배 연기를 강제로 흡입해야 하는 것은 개인이 담배를 피우는 개인적 선택보다 사람들을 분노시킵니다. 이러한 요인들은 변화(위험 감소)가 어떻게 이루어지는지 고려할 때 중요합니다.

영어표현	품사	뜻	유의어	반의어
paradigms	명사	패러다임	Models, patterns	Deviations, anomalies
typically	부사	전형적으로	Usually, commonly	Atypically, unusually
addresses	명사/동사	주소, 다루다	Speaks to, deals with	Ignores, neglects
related	형용사	관련된	Connected, associated	Unrelated, disconnected
employing	동사	사용하는	Using, utilizing	Abandoning, disregarding
symbolic	형용사	상징적인	Representational, emblematic	Literal, concrete
expressions	명사	표현들	Statements, representations	Suppressions, concealments
experimental	형용사	실험적인	Empirical, practical	Theoretical, hypothetical
procedures	명사	절차들	Processes, methods	Disorder, chaos
theoretical	형용사	이론적인	Abstract, conceptual	Practical, applied
statements	명사	진술들	Declarations, assertions	Denials, retractions
practice	명사/동사	실천, 실습	Implementation, exercise	Abandonment, neglect
thus	부사	이렇게	Consequently, therefore	Conversely, otherwise
elements	명사	요소들	Components, parts	Whole, entirety
presuppose	동사	가정하다	Assume, suppose	Question, doubt
comparable	형용사	비교 가능한	Similar, equivalent	Dissimilar, different
unity	명사	통일성	Oneness, harmony	Division, disunity
enable	동사	가능하게 하다	Allow, empower	Hinder, disable
account	명사/동사	설명, 계좌	Explanation, narrative	Ambiguity, obscurity
identification	명사	식별	Recognition, categorization	Unawareness, misidentification
attempting	동사	시도하는	Trying, striving	Abandoning, giving up
interpretation	명사	해석	Explanation, understanding	Misinterpretation, misunderstanding
rationalization	명사	합리화	Justification, explanation	Disapproval, condemnation
prevent	동사	방지하다	Stop, prohibit	Allow, permit
drawing	동사	그리는	Sketching, illustrating	Erasing, eliminating
innovative	형용사	혁신적인	Creative, inventive	Conventional, traditional
like-minded	형용사	유사한 생각을 가진	Similar, compatible	Dissimilar, conflicting
functional	형용사	기능적인	Practical, operational	Dysfunctional, non-operational
aspects	명사	측면들	Facets, features	Whole, entirety

2022년 23번 문제

Scientists use paradigms rather than believing them. The use of a paradigm in research typically addresses related problems by employing shared concepts, symbolic expressions, experimental and mathematical tools and procedures, and even some of the same theoretical statements. Scientists need only understand how to use these various elements in ways that others would accept. These elements of shared practice thus need not presuppose any comparable unity in scientists' beliefs about what they are doing when they use them. Indeed, one role of a paradigm is to enable scientists to work successfully without having to provide a detailed account of what they are doing or what they believe about it. Thomas Kuhn noted that scientists "can agree in their identification of a paradigm without agreeing on, or even attempting to produce, a full interpretation or rationalization of it. Lack of a standard interpretation or of an agreed reduction to rules will not prevent a paradigm from guiding research."

과학자들은 패러다임을 믿는 것이 아니라 사용합니다. 연구에서의 패러다임 사용은 일반적으로 공유된 개념, 상징적 표현, 실험 및 수학적 도구 및 절차, 심지어 동일한 이론적 진술 일부를 활용하여 관련 문제에 대응합니다. 과학자들은 다른 사람이 받아들일 방법으로 이러한 다양한 요소를 사용하는 방법만을 이해하면 됩니다. 이러한 공유된 실천의 요소들은 따라서 과학자들이 이들을 사용할 때 그들이 하는 일이나 그에 대한 믿음에 대한 어떠한 비교 가능한 통일성을 전제하지 않아도 됩니다. 실제로, 패러다임의 역할 중 하나는 과학자들이 자신이 무엇을 하는지나 그에 대해 어떻게 생각하는지에 대한 상세한 설명을 제공하지 않고도 성공적으로 작업할 수 있도록 하는 것입니다. 토마스 쿤은 과학자들이 "패러다임을 동의할 수 있지만, 이에 대한 완전한 해석이나 이성화를 시도하지 않아도 된다"고 언급했습니다. 표준 해석이나 합의된 규칙의 부재가 패러다임이 연구를 안내하는 것을 방해하지 않을 것입니다.

영어표현	품사	뜻	유의어	반의어
share	동사	나누다, 분배하다	Distribute, allocate	Hoard, keep
region	명사	지역	Area, locality	Global, worldwide
above	전치사/부사	위에, 위로	Over, on top of	Below, under
projected	형용사	예상된	Estimated, anticipated	Unforeseen, unexpected
middle class	명사	중산층	Intermediate, average income group	Lower class, upper class
decrease	동사/명사	감소하다	Reduce, diminish	Increase, rise
expected	형용사	예상된	Anticipated, predicted	Surprising, unexpected
영어표현	품사	뜻	유의어	반의어
encouraged	형용사	격려받은	Inspired, motivated	Discouraged, demotivated
assistant	명사	보조자	Helper, aide	Leader, supervisor
several	형용사	몇몇의	Numerous, various	Few, limited
architecture	명사	건축	Building design, structure	Nature, wilderness
participated	동사	참여한	Engaged, took part	Abstained, avoided
renewal	명사	갱신	Revival, restoration	Decline, deterioration
ambitious	형용사	야심적인	Aspiring, determined	Unambitious, content
humankind	명사	인류	Humanity, mankind	Animals, non-human beings
was buried	동사구	묻힌	Interred, laid to rest	Exhumed, unearthed
influenced	동사	영향을 미친	Impacted, affected	Uninfluenced, unaffected
architects	명사	건축가들	Designers, builders	Non-designers, laymen
centuries	명사	세기	Ages, eras	Moments, instances

2022년 25번 문제

The above graphs show the percentage share of the global middle class by region in 2015 and its projected share in 2025. It is projected that the share of the global middle class in Asia Pacific will increase from 46 percent in 2015 to 60 percent in 2025. The projected share of Asia Pacific in 2025, the largest among the six regions, is more than three times that of Europe in the same year. The shares of Europe and North America are both projected to decrease, from 24 percent in 2015 to 16 percent in 2025 for Europe, and from 11 percent in 2015 to 8 percent in 2025 for North America. Central and South America is not expected to change from 2015 to 2025 in its share of the global middle class. In 2025, the share of the Middle East and North Africa will be larger than that of sub-Saharan Africa, as it was in 2015.

위의 그래프는 2015 년과 2025 년에 전 세계 중산층의 지역별 백분율을 보여줍니다. ① 아시아 태평양 지역의 전 세계 중산층 점유율이 2015 년의 46%에서 2025 년의 60%로 증가할 것으로 예상됩니다. ② 2025 년에 아시아 태평양의 예상 점유율은 6 개 지역 중 가장 크며, 동일한 해의 유럽보다 세 배 이상입니다. ③ 유럽과 북미의 점유율은 모두 2015 년의 24%에서 2025 년의 16%로 유럽은 감소할 것으로 예상되며, 북미는 2015 년의 11%에서 2025 년의 8%로 감소할 것으로 예상됩니다. ④ 중남미는 2015 년부터 2025 년까지 글로벌 중산층의 점유율이 변하지 않을 것으로 예상됩니다. ⑤ 2025 년에 중동과 북아프리카의 점유율이 2015 년처럼 아프리카 아래 지역보다 크게 될 것으로 예상됩니다.

2022년 26번 문제

Donato Bramante, born in Fermignano, Italy, began to paint early in his life. His father encouraged him to study painting. Later, he worked as an assistant of Piero della Francesca in Urbino. Around 1480, he built several churches in a new style in Milan. He had a close relationship with Leonardo da Vinci, and they worked together in that city. Architecture became his main interest, but he did not give up painting. Bramante moved to Rome in 1499 and participated in Pope Julius II's plan for the renewal of Rome. He planned the new Basilica of St. Peter in Rome — one of the most ambitious building projects in the history of humankind. Bramante died on April 11, 1514 and was buried in Rome. His buildings influenced other architects for centuries.

도나토 브라만테는 이탈리아 Fermignano에서 태어나 어린 시절부터 그림을 그리기 시작했습니다. 아버지는 그를 회화 공부를 하도록 격려했습니다. 나중에 그는 Urbino의 Piero della Francesca의 보조로 일했습니다. 약 1480년에는 밀라노에서 새로운 스타일의 여러 교회를 건축했습니다. 그는 레오나르도 다 빈치와 밀라노에서 함께 일한 가까운 관계를 가졌습니다. 건축이 그의 주요 관심사가 되었지만, 회화를 포기하지 않았습니다. 브라만테는 1499년에 로마로 이사하여 율리우스 2세 교황의 로마 개혁 계획에 참여했습니다. 그는 로마의 성 베드로 대성당을 계획하여, 이는 인류 역사상 가장 야심 찬 건축 프로젝트 중 하나였습니다. 브라만테는 1514년 4월 11일에 사망하였으며 로마에 매장되었습니다. 그의 건물은 수세기 동안 다른 건축가들에게 영향을 주었습니다.

영어표현	품사	뜻	유의어	ss
challenge	명사/동사	도전, 도전하다	Difficulty, obstacle	Support, assistance
encourages	동사	장려하다	Inspires, motivates	Discourages, demotivates
reduce	동사	감소시키다	Decrease, diminish	Increase, enlarge
being chosen	동사구	선택되는	Selected, picked	Overlooked, neglected
tumbler	명사	텀블러	Drinking container, mug	Open cup, glass
participants	명사	참가자들	Attendees, players	Spectators, observers
council	명사	위원회	Committee, board	Individual, single
contact	동사/명사	연락, 접촉하다	Communicate with, reach out	Avoid, ignore

영어표현	품사	뜻	유의어	반의어
sleepovers	명사	숙면 파티	Overnight stays, slumber parties	Daytime visits, short stays
marine	형용사	해양의	Oceanic, maritime	Terrestrial, land-based
surely	부사	분명히	Certainly, definitely	Doubtfully, uncertainly
overnight	부사	밤새	During the night, all night	Throughout the day, in daylight
experience	명사/동사	경험, 체험	Encounter, involvement	Ignorance, inexperience
underwater	형용사/부사	수중의 / 수중에서	submerged , Below the surface	Above water, on land
be accompanied	동사구	동반되다	Go along with, accompany	Go alone, go separately
be provided	동사구	제공되다	Be supplied, be given	Lack, be deprived
activities	명사	활동들	Actions, tasks	Inactivity, passivity
indoors	부사	실내에서	Inside, within a building	Outdoors, outside
is not allowed	동사구	허용되지 않음	Is prohibited, is forbidden	Is permitted, is allowed

2022년 27번 문제

Cornhill No Paper Cup Challenge

Cornhill High School invites you to join the "No Paper Cup Challenge." This encourages you to reduce your use of paper cups. Let's save the earth together!

How to Participate

1) After being chosen, record a video showing you are using a tumbler.
2) Choose the next participant by saying his or her name in the video.
3) Upload the video to our school website within 24 hours.

※ The student council president will start the challenge on December 1st, 2021.

Additional Information
- The challenge will last for two weeks.
- All participants will receive T-shirts.

If you have questions about the challenge, contact us at cornhillsc@chs.edu.

콘힐 고등학교에서는 "노 페이퍼 컵 챌린지"에 참여하실 것을 초대합니다. 이는 종이컵 사용을 줄이도록 당신을 격려합니다. 함께 지구를 지켜보자!
참여 방법

1. 선발된 후, 텀블러를 사용하는 모습을 담은 동영상을 녹화하세요.
2. 다음 참여자를 동영상에서 이름을 불러 선택하세요.
3. 24 시간 이내에 동영상을 학교 웹사이트에 업로드하세요.

※ 학생회장이 2021 년 12 월 1 일에 챌린지를 시작합니다.

추가 정보 · 챌린지는 두 주 동안 진행됩니다. · 모든 참가자는 티셔츠를 받게 됩니다. 챌린지에 관한 질문이 있으면 cornhillsc@chs.edu 로 문의하세요.

2022년 28번 문제

Goldbeach SeaWorld Sleepovers

Do your children love marine animals? A sleepover at Goldbeach SeaWorld will surely be an exciting overnight experience for them. Join us for a magical underwater sleepover.

Participants
- Children ages 8 to 12
- Children must be accompanied by a guardian.

When: Saturdays 5 p.m. to Sundays 10 a.m. in May, 2022

Activities: guided tour, underwater show, and photo session with a mermaid

Participation Fee
- $50 per person (dinner and breakfast included)

Note
- Sleeping bags and other personal items will not be provided.
- All activities take place indoors.
- Taking photos is not allowed from 10 p.m. to 7 a.m.

For more information, you can visit our website at www.goldbeachseaworld.com.

골드비치 씨월드 슬리프오버

여러분의 아이들이 해양 생물을 좋아하나요? 골드비치 씨월드에서의 슬리프오버는 그들에게 즐거운 하룻밤 경험이 될 것입니다. 우리와 함께 신비로운 해저 슬리프오버에 참여해보세요.

참가자
8세에서 12세의 아이들
아이들은 반드시 보호자와 함께 해야 합니다.

일시: 2022년 5월, 토요일 오후 5시부터 일요일 오전 10시까지

활동: 안내 투어, 해저 쇼, 인어와의 사진 촬영

참가비
한 명당 $50 (저녁 식사와 아침 식사 포함)

참고
침낭 및 기타 개인 물품은 제공되지 않습니다.
모든 활동은 실내에서 진행됩니다.
10시부터 7시까지는 사진 촬영이 허용되지 않습니다.
더 많은 정보를 원하시면 저희 웹사이트 www.goldbeachseaworld.com을 방문해주세요.

영어표현	품사	뜻	유의어	ss
introduction	명사	소개, 도입	Presentation, initiation	Conclusion, closure
substantially	부사	상당히	Significantly, considerably	Minimally, slightly
is conducted	동사구	수행되다	Is carried out, is performed	Is neglected, is ignored
particularly	부사	특히	Especially, specifically	Generally, broadly
cooperation	명사	협력	Collaboration, teamwork	Conflict, opposition
firms	명사	기업들	Companies, businesses	Individuals, solo ventures
involves	동사	포함하다	Includes, incorporates	Excludes, omits
integration	명사	통합	Incorporation, merging	Disintegration, separation
multiple	형용사	다양한	Many, numerous	Single, solitary
resulting	형용사	결과로서의	Consequent, resultant	Antecedent, preceding
typically	부사	전형적으로	Usually, commonly	Unusually, atypically
as a consequence	관용구	그 결과로서	Therefore, as a result	In spite of, regardless
ensure	동사	보장하다	Guarantee, secure	Neglect, disregard
sustainable	형용사	지속 가능한	Eco-friendly, renewable	Unsustainable, harmful
performance	명사	성과	Achievement, accomplishment	Failure, underachievement
entire	형용사	전체의	Whole, complete	Partial, incomplete
ecosystem	명사	생태계	Ecological system	Disarray, chaos
surrounding	형용사	주변의	Nearby, adjacent	Distant, far
fundamentally	부사	근본적으로	Essentially, inherently	Superficially, externally
profitable	형용사	이윤 창출이 되는	Lucrative, beneficial	Unprofitable, loss-making
existence	명사	존재	Being, presence	Non-existence, absence
crucial	형용사	중요한	Vital, essential	Insignificant, trivial

2022년 35번 문제

Since their introduction, information systems have substantially changed the way business is conducted. This is particularly true for business in the shape and form of cooperation between firms that involves an integration of value chains across multiple units. The resulting networks do not only cover the business units of a single firm but typically also include multiple units from different firms. As a consequence, firms do not only need to consider their internal organization in order to ensure sustainable business performance; they also need to take into account the entire ecosystem of units surrounding them. Many major companies are fundamentally changing their business models by focusing on profitable units and cutting off less profitable ones. In order to allow these different units to cooperate successfully, the existence of a common platform is crucial.

자료 시스템이 도입된 이후로 비즈니스의 수행 방식이 상당히 변화했습니다. 이것은 특히 여러 부서 간의 가치 사슬 통합을 포함하는 기업 간 협력 형태의 비즈니스에 대해서 말이 됩니다. 결과적으로, 이러한 네트워크는 단일 기업의 비즈니스 부서뿐만 아니라 일반적으로 여러 기업의 다양한 부서를 포함합니다. 결과적으로, 기업들은 지속 가능한 비즈니스 성과를 보장하기 위해 내부 조직뿐만 아니라 자신을 둘러싼 전체 부서 생태계를 고려해야 합니다. 많은 주요 기업들이 수익성 있는 부서에 초점을 맞추고 수익성이 적은 부서를 차단함으로써 비즈니스 모델을 근본적으로 변경하고 있습니다. 이러한 다양한 부서가 성공적으로 협력할 수 있도록 하기 위해서는 공통 플랫폼의 존재가 중요합니다.

영어표현	품사	뜻	유의어	반의어
practicing	동사	연습하는	Training, rehearsing	Abandoning, neglecting
sparring	명사	스파링	Training fight, practice bout	Cooperation, collaboration
assisting	동사	도와주는	Helping, aiding	Hindering, obstructing
noticed	동사	주목했다	Observed, perceived	Ignored, overlooked
glancing	동사	훑어보는	Briefly looking, scanning	Staring, scrutinizing
entrance	명사	입구	Entry, doorway	Exit, egress
expecting	형용사	기대하고 있는	Anticipating, awaiting	Surprised, unprepared
wounded	형용사	상처 입은	Injured, harmed	Unharmed, uninjured
bandages	명사	붕대	Dressings, wraps	Wounds, injuries
explained	동사	설명했다	Clarified, elaborated	Confused, muddled
absent	형용사	결석한	Missing, not present	Present, attending
excitedly	부사	흥분하여	Eagerly, enthusiastically	Calmly, dispassionately
are thrilled	형용사구	매우 흥분한	Are extremely excited	Are disappointed, are dismayed
apologetic	형용사	사과하는	Sorry, regretful	Unapologetic, unrepentant
responded	동사	응답했다	Answered, replied	Ignored, dismissed
nodding	동사	끄덕이는	Agreeing, approving	Shaking, disagreeing
uneasily	부사	불안하게	Anxiously, nervously	Calmly, confidently
personally	부사	개인적으로	Individually, privately	Impersonally, universally
invited	동사	초대했다	Asked, welcomed	Excluded, disinvited
budget	명사	예산	Financial plan, allocation	Overspending, debt
received	동사	받았다	Obtained, got	Returned, gave
practice	명사/동사	연습, 연습하다	Training, rehearsal	Abandonment, neglect
unexpectedly	부사	예상치 못하게	Surprisingly, unpredictably	Predictably, expectedly
wondered	동사	궁금해했다	Pondered, questioned	Knew, understood
disappointed	형용사	실망한	Disheartened, let down	Satisfied, content
judgingly	부사	판단적으로	Critically, evaluatively	Nonjudgmentally, impartially
newcomers	명사	신입사원들	New arrivals, rookies	Veterans, experienced
commitment	명사	헌신, 약속	Dedication, promise	Negligence, breach
swung	동사	휘둘렀다	moved in an arc	Held still, fixed

2022년 43-45번 문제

In the gym, members of the taekwondo club were busy practicing. Some were trying to kick as high as they could, and some were striking the sparring pad. Anna, the head of the club, was teaching the new members basic moves. Close by, her friend Jane was assisting Anna. Jane noticed that Anna was glancing at the entrance door of the gym. She seemed to be expecting someone. At last, when Anna took a break, Jane came over to (a) her and asked, "Hey, are you waiting for Cora?"

Anna answered the question by nodding uneasily. In fact, Jane knew what her friend was thinking. Cora was a new member, whom Anna had personally invited to join the club. Anna really liked (c) her. Although her budget was tight, Anna bought Cora a taekwondo uniform. When she received it, Cora thanked her and promised, "I'll come to practice and work hard every day." However, unexpectedly, she came to practice only once and then never showed up again.

Since Cora had missed several practices, Anna wondered what could have happened. Jane, on the other hand, was disappointed and said judgingly, "Still waiting for her, huh? I can't believe (d) you don't feel disappointed or angry. Why don't you forget about her?" Anna replied, "Well, I know most newcomers don't keep their commitment to the club, but I thought that Cora would be different. She said she would come every day and practice." Just as Jane was about to respond to (e) her, the door swung open. There she was!

Cora walked in like a wounded soldier with bandages on her face and arms. Surprised, Anna and Jane simply looked at her with their eyes wide open. Cora explained, "I'm sorry I've been absent. I got into a bicycle accident, and I was in the hospital for two days. Finally, the doctor gave me the okay to practice." Anna said excitedly, "No problem! We're thrilled to have you back!" Then, Jane gave Anna an apologetic look, and (b) she responded with a friendly pat on Jane's shoulder

체육관 안에서 태권도 클럽 회원들은 바쁘게 연습하고 있었습니다. 몇몇은 가능한 한 높게 발차기를 하려고 하고 있었고, 몇몇은 스파링 패드를 치고 있었습니다. 클럽의 리더인 애나는 새로운 회원들에게 기본적인 움직임을 가르치고 있었습니다. 그 근처에서 그녀의 친구 제인이 애나를 돕고 있었습니다. 제인은 애나가 체육관의 입구 문을 바라보고 있는 것을 알아챘습니다. 그녀는 누군가를 기다리고 있는 것 같았습니다. 마침내 애나가 휴식을 취할 때, 제인이 다가와서 그녀에게 물었습니다. "저기요, 코라를 기다리고 있나요?"

애나는 불안하게 고개를 끄덕였다는 대답으로 질문에 답했습니다. 사실, 제인은 친구가 무엇을 생각하고 있는지 알고 있었습니다. 코라는 애나가 클럽에 가입하도록 개인적으로 초대한 새로운 회원이었습니다. 애나는 그녀를 정말 좋아했습니다. 예산이 타이트한 상황이었지만, 애나는 코라에게 태권도 유니폼을 샀습니다. 그것을 받은 후, 코라는 고마워하고 "매일 연습하러 오고 열심히 할게요"라고 약속했습니다. 그러나 예상치 못하게 그녀는 한 번 연습만 하고 나서 다시는 나타나지 않았습니다.

코라가 몇 번의 연습을 놓쳤기 때문에 애나는 무슨 일이 있었을까 궁금했습니다. 반면에 제인은 실망하며 판단적으로 말했습니다. "그녀를 아직도 기다리고 있구나? 네가 실망하거나 화가 안 나는 게 믿기지 않아. 왜 그녀를 잊지 않는 거야?" 애나는 "대부분의 신입 회원들이 클럽에 대한 약속을 지키지 않을 것을 알고 있지만, 코라는 다를 것이라고 생각했어. 그녀는 매일 오고 연습할 거라고 말했으니까." 제인이 그녀에게 답하려고 할 때, 문이 열렸습니다. 그녀가 바로 거기에 있었습니다!

코라는 상처 입은 병사처럼 얼굴과 팔에 붕대를 두르고 천천히 들어왔습니다. 놀란 애나와 제인은 그저 큰 눈을 뜨고 그녀를 바라보았습니다. 코라는 "결석해서 미안해요. 자전거 사고를 당해서 병원에 두 일 동안 있었어요. 마침내 의사가 연습해도 괜찮다고 했어요." 애나는 흥분한 듯이 "괜찮아요! 다시 돌아와서 기뻐요!"라고 말했습니다. 그런 다음, 제인은 애나에게 사과하는 듯한 눈빛을 보내고, 그녀의 어깨를 친근하게 두드렸습니다.

수고하셨습니다!
영어 단어 마라톤 완주했습니다!